OPENBARE BIBLIOTHEEK
INDISCHE BUURT
Javaplein 2
1094 HW AMSTERDAM
Tel.: 020 - 668 15 65

afgeschreven

DE MAN DIE BRAK

OPENBARE BIBLIOTHEEK
INDISCHE BUURT
Javaplein 2
1094 HW AMSTERDAM
Tel.: 020 - 668 15 65

Peter Drehmanns

DE MAN DIE BRAK

Roman

Voor Slava en Richard

Now everyone's crazy, they've lost their minds
Just look at the world
It could all be over at any old time
And I can hear it loud and clear
The world is ending, and what do I care?
She's gone, end times are here

Eels, uit *End Times*

9:33 UUR

Bent u vrij? Die woorden. Die woorden zijn de eerste die ik hoor sinds het is gebeurd. De eerste woorden van de eerste klant op een dag die – zoveel is zeker – ik nooit zal vergeten. Bent u vrij? Een gewetensvraag bijna.

Een schim in de achteruitkijkspiegel. Ineens zit er een man, klaar om weggereden te worden, aan mij overgeleverd. De reistas heeft hij naast zich neergezet als een dier dat geaaid moet worden.

De mobilofoon kwinkeleert. Uit met dat ding, rust in de tent. Meter aan, daklicht uit, en wegwezen. De belletjes van de nar onder de binnenspiegel tinkelen. Die kan ik niet uitzetten, tenzij ik de groene grappenmaker losruk en uit het raam flikker. Maar dan zou Liz het zien, Liz die me aanstaart vanaf het dashboard: verschoten maar onuitwisbaar. Een fotootje als een ex voto. De vrouw die mij de weg wijst. De vrouw die mij heeft misleid. De vrouw die mij de nar cadeau heeft gedaan.

De lichtbundels van de koplampen dwarrelen door de vitrage van de hotellounge. In alle vroegte. Waar moet meneer trouwens heen, of wil hij gewoon weg, zo ver mogelijk weg van dat groezelige hotel waar hij de slaap niet kon vatten, waar hij bezoek heeft gekregen van een escortmeisje maar 'm niet omhoog kreeg, waar hij is bestolen, een moord heeft gepleegd, de toiletpot heeft volgekotst. Ik heb geen zin om het hem te vragen, het maakt me geen moer uit, de teller tikt, de wielen draaien.

Zolang ik onderweg ben, is er niks gebeurd. Is alles steeds anders.

'Naar het station, alstublieft.'

In deze schemering en met de weerschijn van de natriumlampen lijkt de weg van zwart vulkanisch glas. Hoe heet dat spul ook alweer? Oxiaan? Obsidiaan? Zou die man op de achterbank het weten? Vertel nooit wat aan je passagiers. Elk woord dat je zegt, nemen ze mee. Ze slaan het op in hun laptops, ze stoppen het in hun koffers, verraden het aan hun mobiele telefoons. Ze plunderen je leeg waar je bij zit.

'U bent er vroeg bij.'

'Ja, dat kun je wel zeggen. Was niet helemaal de bedoeling.'

'O nee?'

Was niet helemaal de bedoeling. En toch ben je nu aan het lullen met die gast, toch stel je jezelf bloot. Je praat om het gebrul in je hoofd te dempen.

'Nee', zegt de klant.

Wat had ik dan verwacht, dat ook dat vandaag anders zou gaan? Niks ervan. Het portier gaat open en er komt een brok bestaan binnenrollen, samengeperst tot iemand die meestal zwijgt, slechts zegt waar hij of zij heen wil. Een bestemming, meer niet. Een uiterst vage bekentenis. Ik breng ze daarheen waar ze willen zijn zonder de afstand tussen mij en hen te verkleinen. Er zit een heel leven op de achterbank en toch gebeurt er niks. Maar soms wordt die achterbank een divan en de taxi een mobiele behandelkamer.

'In dat hotel zou ik het ook niet lang uithouden. Slechte service, gehorig, rampzalige matrassen en het ruikt er overal naar schimmel.'

En toch ging ik er telkens weer heen. Heb ik Liz er keer op keer uitgewoond, heeft zij alle gasten wakker geschreeuwd.

Toen ze nog niet wilde dat ik bij haar bleef slapen. Toen ze nog dat krakende bedje had, de dwarslatten die dreigden te breken onder die topzware hartstocht. Toen ik nog een reiziger was, een man die kwam, wachtte, zich tegelijkertijd volzoog en leegspoot, en weer vertrok.

'Als ik het voor het zeggen had gehad... Zelf zou ik dat hotel nooit hebben gekozen. Maar het leek onze elftalleider een goed idee. Goedkoop en centraal. Met één grote slaapzaal waar we met z'n twaalven terechtkonden. Nou, dat hebben we geweten.'

Ik heb me vergist. Hij wil zijn verhaal kwijt, net zoals ik. Maar ik hoef niks te zeggen. Ik hoef alleen maar de wielen te laten spreken. De wielen die mijn verhaal aan gort draaien. En het stuur vast te houden. Zolang ik dit stuur vasthoud, heb ik ook mezelf in de hand. Links, rechts, rechtdoor. Makkelijk zat. Met een vinger de ruitenwissers in beweging brengen. De regen die als gesmolten lood langs de ruiten glijdt. Weg wordt gejaagd. Terugkeert. Een bloedend stoplicht. Dan weer klaarte, de weg ligt open, vlucht vooruit.

'Met z'n twaalven op één kamer. Ja, dan zult u weinig hebben geslapen. Laat me raden: er werd gesnurkt, er werd gekotst...'

Kamer 86. Op dezelfde gang als de slaapzaal. Het plafond van gescheurd sierpleister. Vervaalde jachtscènes op de muren. De kokhalzende afvoer van de wasbak waarin ik mijn pis liet weglekken. Het gordijn dat alleen met grof geweld deed wat het moest doen. Daar gebeurde het de eerste keer. Daar gebeurde het telkens weer. Dat wil zeggen: de eerste keer gebeurde het niet. Ik wilde haar zo graag, met elke vezel van mijn zenuwweefsel, met elk adertje, dat mijn bloed alle kanten opstoof in plaats van gedisciplineerd samen te stromen in het zwellichaam van mijn pik. Ineens was alles daar: haar borsten, haar dijen, de oksels, de ogen, de lippen boven, de lippen onder, huid wijd en zijd – ik wist niet waar te beginnen.

'Ach, als dat alles was. Een beetje gesnurk, daar kan ik best tegen. En volgens mij is ook niemand over z'n nek gegaan, wat raar is want meteen na de voetbalwedstrijd zijn we begonnen met hijsen. Van vijf tot twee, non-stop. Maar geen sterkedrank, alleen bier. Het kan trouwens wel dat sommige jongens het op de plee op de gang hebben gedaan. Ik bedoel...'

Ineens zwijgt hij. Alsof de alcohol nog door z'n kop kolkt en zijn woorden wegspoelt. Ik weet wat hij bedoelt. Het doen, het gedaan hebben. Ja, ja. Daar in dat gore hotel heb ik het gedaan met Liz. Niet de eerste keer, maar wel de tweede en de derde en al die andere keren dat ik nog een voorbijganger was in dit land, geen ingezetene, niet iemand die definitief heeft besloten te blijven.

De ruitenwissers hebben hun beste tijd gehad. Nog even moeten ze zich uitsloven voor mij. Helderheid bieden. En dan mogen ze wat mij betreft verflodderen. Na mij de zondvloed.

'Misschien heeft hij het daar ook nog gedaan, dat zou me niks verbazen.'

Nu volg ik hem niet meer. Hij praat eerder tegen zichzelf dan met mij. De achteruitkijkspiegel verschaft aanvullende informatie: een gezicht als een dodenmasker; akelig glad; zwoerdwit. Gassen nou. Wegwezen, wegwezen van hier, van daar, van daarstraks. Zo hard optrekken dat de taxi doormidden breekt.

De taxi springt vooruit, de nar rinkelt zich rot. De schok lijkt mijn passagier wakker te schudden. Hij komt weer tot zichzelf, weet waar hij is, de geluksvogel. Verklaart dat hij zojuist over de elftalleider sprak. Dat dit de man was die alles in het honderd liet lopen. 'Onbegrijpelijk wat hij heeft gedaan. Echt te gek voor woorden.'

Opnieuw zakt hij weg in zichzelf. En de misselijkheid rijst in mij, klotst in mijn slokdarm. Vóór mij het snotgladde asfalt. Het ooglijdersgasthuis glijdt voorbij, voor je het weet ligt er een blinde onder je wagen. En dan zijn de rapen gaar. Ik moet die man terughalen, hem laten ouwehoeren, hij moet alles onderkotsen met zijn woorden, alle sporen uitwissen.

'Wat heeft hij dan gedaan, die elftalleider van u?'

Hij aarzelt. Waarom zou hij mij die smeerboel ook toevertrouwen? Daarvoor heeft een mens gediplomeerde zenuwartsen, zielkundigen en andere vuilophalers. En een levenspartner – dat wil zeggen: soms, en voor zover die nog wil luisteren. Maar dan barst hij los, hij moet het kwijt, hij kan zich niet langer inhouden. Dat die eikel nota bene alles had geregeld, tot in de puntjes: het vervoer, het hotel, een rondleiding door de stad, de wedstrijd, de scheidsrechter, het restaurant, een lijst met nuttige adressen. Een betrouwbare peer, iemand met hart voor de zaak, een uitstekende spelverdeler bovendien. Hij wist de weg, want hij was hier geboren en getogen. Zijn vrouw kwam hier vandaan en zijn schoonouders woonden er nog steeds. Op zo iemand kon je bouwen, zou je denken. Nou, mooi niet. In de eerste kroeg na het restaurant liet hij z'n team al in de steek. Moesten ze het voor de rest maar zelf uitzoeken. Ging meneer ergens in een hoekje staan zwammen met mensen die hij kennelijk van vroeger kende.

Moet ik hier verder nog naar luisteren? Wat is dit voor doetje, waarom heeft hij niet zelf wat initiatief getoond, een gesprek aangeknoopt met een vreemde, een vrouw versierd? Nee, dan ik. Omdat daarginds niets mijn kant op kwam, ging ik weg. Stak ik de zee over, liep een café binnen waar mijn toekomstige vrouw zat. Iemand met zo'n glimlach verdiende het te worden onderzocht. Na tien zinnen begreep ik al dat ze mij kon lezen. Ik nam mijn intrek in het goedkoopste en smerigste hotel van de stad. Ik raakte verstrikt in haar armen, rukte me los, ging weg, kwam terug. Kwam telkens terug. Ze hadden me nog zo gewaarschuwd: iemand van het vasteland kon misschien nog wel iets krijgen met iemand van hun eiland, maar zo'n verbintenis zou onherroepelijk kapotgaan.

De man op de achterbank zwijgt ineens. Waarschijnlijk zoekt hij de plot van zijn verhaal. Op het digitale klokje naast de benzinemeter verspringt een getal en ook op de teller verschijnt, in een ander ritme, een nieuw cijfer. Naast ons een bus met beslagen ruiten en daarachter, deels uitgewist, mensen die er vroeg bij willen zijn, die bang zijn iets te missen. Vrouwen die een jurkje in de uitverkoop willen scoren. Zoals Liz ooit. En dan kwam ze terug van haar rooftocht en moest ik bij elke trofee hosanna en hoezee roepen en...

Ik ben hier gekomen om haar. Omdat zij niet weg wilde. Ik heb haar taal geleerd, goed genoeg om mij uitstekend te kunnen redden, maar net niet goed genoeg om te doen wat ik daarginds deed. In plaats van verder te gaan met lesgeven heb ik de plattegrond van een stad uit mijn hoofd geleerd. In plaats van mensen wegwijs te maken in andermans verhalen laat ik me nu al jarenlang vertellen waar ik heen moet rijden. In plaats van dingen te verhelderen stuit ik dagelijks op wegomleidingen, verkeersopstoppingen en weerspannige klanten. Ik moest tien stappen terug doen om bij haar te kunnen zijn. En toen ik daar eenmaal was, begon ze van me weg te lopen. Begon ze zich te beklagen dat ze me zo weinig zag omdat ik vaak nachtenlang in die klotetaxi zat.

'Weet u soms wat Barcelona gisteravond heeft gedaan?'

Een ander spoor. Kennelijk heeft mijn passagier besloten zijn verhaal af te breken en de climax voor zichzelf te houden. Maar zo komt hij er niet vanaf. Het aan mijn verbeelding overlaten, nee, dat nooit. Veel te gevaarlijk.

'Met 3-0 gewonnen. Een hattrick van Messi. Die jongen is gewoon niet te stoppen. En u, heeft u die wedstrijd gisteren gewonnen?'

'O, dat was maar een vriendschappelijk potje, er stond niks op het spel. Tegen het oude team van onze elftalleider.'

'En?'

'En wat?'

'Gewonnen of verloren?'

'Een gelijkspel.'

'En uw elftalleider?'

'Hoezo?'

'Was die tevreden?'

'Die was... Hij is ook onze aanvoerder. Volgens mij deed hij gewoon niet genoeg z'n best, om zijn oude team niet te laten verliezen. In de laatste minuut maakt die verraaier nog een eigen doelpunt. Verdacht, héél verdacht.'

Nu heb ik hem. 'En daarom heeft u nu de pest aan hem?'

'Nee, dat niet. Dat heeft er niks mee te maken. Of misschien een beetje, misschien hadden we toen al moeten weten dat hij niet te vertrouwen is.'

Vertrouwen. Spreek me niet van vertrouwen. Wie vertrouwt, berouwt – zo zeggen ze dat in hun taal. De taal van Liz en de haren. Een taal vol valkuilen, dubbele bodems en hinderlagen. Een onbetrouwbare taal. Een taal die leugens een comfortabel onderkomen biedt. Daar ben ik geleidelijk aan achter gekomen. Door schade en schande. Nee, mij maak je niks meer wijs. Wat daar buiten gebeurt bijvoorbeeld. Dat noemen ze vooruitgang. Die betonmolens, die snerpende slijpmachines, die bouwvakkers met laskappen als Moorse torentjes op hun hoofd. Ooit stond hier het Museum voor Fossielen en Reptielen. Nu verrijst er een winkelcentrum, totdat ook daar niemand meer op afkomt. Wat hebben ze trouwens met al dat dode materiaal gedaan? Waar zijn die opgezette dieren en skeletten gebleven? Maar ik moet bij de les blijven. Me laten insluiten door het verhaal van die gast. En blijven rijden. Niet stilvallen. Geen terugval.

'Dus die elftalleider van u heeft het nogal bont gemaakt gisteravond.'

'Dat kun je wel zeggen, ja.'

Opnieuw komt er geen vervolg. Rare gozer. Wat wil hij nou, zijn hart uitstorten of uiteindelijk de clou toch maar voor zich houden? Misschien is hij nog niet helemaal wakker of wordt hij telkens overmand door misselijkheid en moet hij zichzelf daarna weer bij elkaar rapen. Een beetje zoals die graafmachine daar. Puinbrokken oplepelen en onderweg naar de container de helft verliezen. Slopen, daarin zijn ze goed in deze stad. Niks bewaren, zo veel mogelijk afbreken en dan weer een nieuw luchtkasteel bouwen. Geen slaapstad maar een sloopstad. Je krijgt hier gewoon geen tijd om je thuis te voelen. Alsof al die gebouwen een filmdecor vormen dat over een paar maanden weer zal worden vervangen.

'Hij heeft iedereen verbijsterd', herneemt de man op de achterbank. 'Zoiets doe je toch niet. Waar iedereen bij was. Elf getuigen. Echt, waarom doe je zoiets?'

Ik weet het niet. Ik wil het niet weten. Waarom heb ik het gedaan? Ik moet iets verzinnen, iets wat steek houdt, wat me overeind houdt. Ja, ook ik heb mijn steentje bijgedragen aan de sloop van deze stad, zogezegd. Omdat er iets op instorten stond. Maar daar mag je niet aan denken. Je moet verder, vooruit, ook al is alles kapot.

'U maakt me nieuwsgierig', zeg ik. 'Was het echt zo erg wat die elftalleider van u heeft uitgespookt? Als u er niet over wilt spreken, is dat natuurlijk uw goed recht. Ik wil me ook helemaal niet opdringen, ik wil alleen...'

Ja, wat wil je nou? Liz kijkt me aan met haar groengrijze foto-ogen. Waar ben je mee bezig?

'U hoeft zich niet te verontschuldigen. Ik zal het u vertellen. U kent hem niet, dus u mag het weten. En ik hoor graag van u wat u ervan denkt. Of het normaal is wat die idioot heeft gedaan. Ik begrijp het niet en ik denk dat de andere tien het ook niet begrijpen. Waarschijnlijk voelen die zich net zo opgelaten als ik. Het zou me niet verbazen als het team hierdoor uit elkaar valt. Op deze basis kunnen we niet meer verder, onmogelijk. Dit heeft alles voorgoed veranderd, naar de verdommenis geholpen. Of híj moet weg, ja, hij moet opsodemieteren. Als hij ook maar een greintje eergevoel in zijn donder heeft, iets van schaamte kent, dan laat hij zich nooit meer zien. Maar dat is het 'm nou juist, daarvan heeft hij afgelopen nacht op geen enkele manier blijk gegeven, het was totaal schaamteloos en respectloos wat hij heeft gedaan.'

Ga met hem mee, spring op die carrousel en laat je duizelig draaien door zijn verhaal totdat het gaat schuimen in je hoofd en alle wespen en horzels verdrinken.

'Was hij soms dronken? Ik bedoel, misschien wist hij zelf ook niet wat hij deed. Wie weet heeft hij wel enorme spijt van wat hij heeft gedaan.'

'Nee, dat geloof ik niet. Dat wil zeggen, hij was vast dronken, dat moet haast wel, maar toch wist hij nog wat hij deed. Tenslotte kon hij ook... Maar wat klets ik, ik heb u nog altijd niet verteld wat er gebeurd is.'

Nee, en dadelijk zijn we bij het station en stapt hij uit en neemt hij de clou met zich mee en dan zal ik nooit weten wat voor verschrikkelijks, voor onzegbaars er is gebeurd en ik zal voor eeuwig in het duister tasten en Liz zal er niet meer zijn om me aan vast te klampen, wat ik uiteindelijk veel te weinig heb gedaan, mijn handen op en rond dat warme en vlezige lichaam. Je bent gewoon bang, zei ze, bang om iets vast te pakken, vast te houden. Bang dat het meteen uit je handen glijdt en aan gruzelementen gaat. En daarom houd je afstand, daarom raak je de dingen alleen maar heel even aan, alsof je een schok van ze krijgt. Alsof alles en iedereen onder stroom staat. Dat zei ze terwijl ik op haar afkwam met één open en één gesloten hand, steeds meer naderde ik haar, ook al had ik het gevoel dat de grond onder me spekglad was en dat ik voortdurend weggleed.

De man achter me is naar voren geveerd, ik voel zijn lauwe adem in mijn nek. Hij is er klaar voor, hij zal me zijn geheim verklappen. Ik ben zijn vertrouweling, uitgerekend ik, ja. De regen ratelt nog altijd tegen de ramen. De stad is een versleten spons, overal water dat niet weg kan, spiegelscherven op het asfalt.

'We zaten in dat café en ineens was hij weg. We konden hem niet meer vinden. Eerst dachten we nog dat hij op de wc zat, ziek of zo. Maar nee. De barman had hem zien weggaan met een meisje.' Zijn stem is plotseling heel ijl, alsof hij geen lucht meer krijgt. Het valt hem zwaar dit te vertellen. Misschien was de elftalleider wel zijn vriend. De vriend die hij nu verraadt. De vriend die hem heeft verraden.

De nar lacht, Liz lacht. De nar met zijn belletjes, Liz met haar gebarsten mond. Die foto is vijf jaar geleden gemaakt, in de zomer, we zouden op vakantie gaan en één week van tevoren was ze erachter gekomen dat haar paspoort verlopen was. Dat was de eerste keer dat we echt ruzie hadden, dat ik niet meer uit mijn woorden kwam en bij haar de taal juist snoeihard en vlijmscherp van haar lippen raasde. Dezelfde lippen die niet lang na die tirade tot een angelieke glimlach werden omgesmolten terwijl Liz in het pasfotohokje wachtte op de verblindende flits.

In de achteruitkijkspiegel verschijnt weer een bleke vlek, bij benadering een gezicht: de klant heeft zich achterover laten vallen, hij neemt afstand. Heeft hij zich bedacht? Toen ze uit het hokje kwam, zochten haar lippen mijn borstelige wang. Ze hield ervan zich snel te verzoenen met de vijand. Een koude oorlog was niet aan haar besteed. Ze verloor makkelijk haar hoofd, maar even probleemloos bood ze haar verontschuldigingen aan. Ik heb nooit begrepen of dat een teken van kracht of van zwakte was. Sorry zeggen, dat duidt toch op inconsequentie, op een grillig karakter? Het is nog hooguit vijf minuten tot het station. Het begint naar schuld te ruiken hierbinnen. Naar schuld en boete en bloed.

'Hij ging dus met een meisje weg?' Ik vraag het, maar het interesseert me niet. Die winkelgalerij daar die op instorten staat, is oneindig boeiender.

'Ja, hij liet ons barsten. Terwijl we heg noch steg kenden in deze stad. We wisten niet eens waar we waren. En z'n mobieltje nam hij niet op. Voor een of ander loslopend stuk vlees liet hij ons barsten. We moesten het allemaal maar zelf uitzoeken, het kon hem geen moer schelen.'

Hij zucht. Dadelijk pakt hij zijn tas en dan verdwijnt hij in een trein en laat hij mij achter met zijn belachelijke verhaal.

Was het dat? Hij heeft de anderen aan hun lot overgelaten en is er met een leuk meisje vandoor gegaan? 'Tja, in deze stad barst het van de fijne meisjes. Waarom heeft u het er zelf niet een beetje van genomen?'

'Ik ben getrouwd. Maar daar gaat het niet om. Hij is trouwens ook getrouwd, of had ik dat al gezegd? Zijn vrouw was gewoon in de stad, die had hij gisteren bij haar ouders afgezet. Hoe dan ook, we zijn heus niet meteen teruggegaan naar het hotel. We hebben nog wat rondgehangen in een paar andere cafés. Daar was hij ook niet, zijn telefoontje had hij uitgeschakeld, hij leek gewoonweg van de aardbodem verdwenen.'

'Maakte u zich soms zorgen? Dachten jullie dat hem iets was overkomen?'

Ik hoor hoe hij aan de rits van zijn reistas rukt. Wat een sukkel.

'Ik... nee, nou ja, misschien een beetje. Dit was niks voor hem. Zo kenden we hem niet. Uiteindelijk hebben we het hotel teruggevonden. Als we aan iemand de weg vroegen, kwam er geen zinnig woord uit. Stomdronken. Iedereen in deze stad... allemaal strontlazarus.'

'U had toch een taxi naar het hotel kunnen nemen?'

'Een taxi? Ja... inderdaad, een taxi. Op dat idee zijn we niet gekomen. We waren een beetje van slag en ook nog een beetje... nou ja, we hadden wel het een en ander gedronken.'

Een supersukkel. Komt nergens op en maakt niks af. Het zou me niet verbazen als hij dadelijk zijn trein mist en dan de hele dag in de wachtkamer gaat zitten treuren.

Ik geef een rukje aan het stuur om de boel draaiende te houden. Om door te kunnen gaan. Rechtdoor. Ik moet die druiloor een bekentenis afdwingen.

'Oké, dus u kwam met de rest van het elftal terug in het hotel en de leider heeft zich niet meer gemeld. Is dat uw verhaal?'

'Nee, natuurlijk niet. Als dat alles was... Om ongeveer twee uur gingen we slapen. Hoe laat het precies gebeurde, weet ik niet, maar voor mijn gevoel had ik al een paar uur geslapen. Ik schat zo dat het zes uur was. Daarna heb ik in ieder geval geen oog meer dichtgedaan. Er werd op de deur van de slaapzaal gebonsd. Niemand reageerde. Nog meer gebons en ook geschreeuw. Dat we niet zo flauw moesten doen. Dat hij de sleutel toch niet had. Ik herkende zijn stem en liep naar de deur. Ik wil hem uitkafferen maar nog voordat ik iets kan zeggen, heeft hij me al opzij geduwd. Ik denk eerst dat ik het niet goed heb gezien in het donker, maar dan...'

Maar dan. Een bus davert door de straat. De raampjes van mijn wagen trillen. Ik sta stil. Waarom? Ben ik soms vergeten dat die wegstrook ook voor mij bestemd is? Maar dan. Maar toen. Maar toen zag die man op de achterbank die toch niet zo'n sukkel is maar eerder een smiecht, een spion, een vuile verklikker, ja toen zag hij daar in die slaapzaal van dat smerige hotel terwijl hij nu in mijn taxi zit, zag hij nóg iemand richting een bed lopen, een vrouw ja, een hoer misschien, of gewoon iemand die net zo getrouwd was als de elftalleider, die toe was aan een verzetje, die eens een andere tong in haar mond wilde voelen woelen, een andere leuter in haar schaamspleet, moet kunnen toch, het vlees is zwak en de geest verlaat soms de fles, en daar in die slaap-zaal met die elf voetballers die snurkten of kwijlden of zich slapend hielden, daar kroop die elftalleider gewoon boven op die vrouw, op die slet, zoals ik jarenlang 's nachts over Lizzie kroop, als een gordeldier, ja, ze hield van al dat ruwe en harde vlees, ze hield ervan om opengehaald te worden en 's ochtends zag je dan soms bloed op het hoeslaken, dat wond haar op, wond mij op, moet kunnen toch, en de elftal-leider wiens vrouw op slechts een paar kilometer afstand de slaap der onschuldigen slaapt in haar ouderlijk huis terwijl haar wettige echtgenoot in het gezelschap van elf spelers uit zijn voetbalteam een andere vrouw binnendringt, die elftal-leider gaat als een beest tekeer, zozeer zelfs dat de vrouw on-der hem duidelijk verstaanbaar voor het met stomheid ge-slagen publiek roept je maakt me gek, je maakt me helemaal gek en het bed kraakt en schommelt en Liz lacht naar me met haar paspoortmond en de nar trappelt in de leegte ter-wijl mijn vingers de greep op het stuur dreigen te verliezen en de man achter mij spuugt zijn woorden in mijn nek, brul-lend komt de elftalleider klaar en inmiddels zijn ze allemaal klaarwakker in de slaapzaal maar niemand zegt wat, alle-maal denken ze er het hunne van, vinden ze het weerzin-wekkend wat hun elftalleider en aanvoerder heeft gedaan, in hun aanwezigheid heeft durven doen, walgelijk en tegelijk-kertijd onbegrijpelijk vinden ze het, zoiets doe je toch niet, zoiets gaat elk voorstellingsvermogen te boven, ook al is het vlees zwak en de geest een sluipmoordenaar, ook al is je pik de beul en jijzelf het slachtoffer. Zoiets behoort men niet te doen en toch wordt het gedaan. Dagelijks. In je eigen straat. In je eigen huis.

'Kunt u zich zoiets indenken?' vraagt de man in mijn rug. Precies op tijd is hij klaar met zijn verhaal, alsof hij het heeft gerepeteerd en van tevoren heeft uitgerekend hoelang de taxirit zou duren. Daar is het station, het timpaan met de reusachtige klok die al jarenlang stilstaat. Ook voor dit gebouw ligt al een sloopplan klaar. Het verleden dient nergens toe, we moeten verder. Al die reizigers moeten sneller en gestroomlijnder in de treinen gesluisd worden, de wereld heeft haast en ik minder vaart, draai de taxistandplaats op, schakel terug, kijk op de meter, noem de prijs.

Ik durf hem niet aan te kijken. De biljetten die van zijn eeltige handen naar mijn bezwete vingers verhuizen. Bloedgeld. Zwijggeld. Zou hij de keeper van het team zijn? Hoeveel keer heeft hij gisteren moeten vissen? De elftalleider maakte een eigen doelpunt. Daar begon het allemaal mee. Het verraad.

Hij wil geen kwitantie. Hij wil weg. Naar zijn vrouw. Om haar te bezitten. En terwijl hij bij haar naar binnen gaat, denkt hij aan wat de elftalleider heeft gedaan en hij komt klaar, keihard komt hij klaar en zijn vrouw is kwaad vanwege het gebrek aan consideratie, aan empathie, aan tederheid, zo lomp is hij nog nooit geweest.

Daar gaat hij. En ik haat hem. Omdat hij het weet. Omdat hij naar huis kan.

Verdwaasd kijkt de man met de reistas in het rond. De stationshal lijkt zelf ook op doortocht. Een half dak, metersbrede gaten in de vloer – onder constructie. Hekken om de passagiers niet te laten vallen. Pijlen om richting aan te duiden. Krantenkoppen dwarrelen in het rond – crisis en oorlog platgetrapt door de zolen van dagjesmensen. Een dwaalspoor van gestolde kauwgom. De geur van vers puin vermengd met de adem van pas gebakken brood. Samengebundeld daglicht en kunstlicht, ingeklemd tussen schemer en schaduw.

De man met de reistas kijkt over zijn schouder maar kan de taxi waaruit hij zojuist is gestapt niet meer zien. Hij overweegt terug te gaan, de chauffeur voor te liegen dat hij heeft gelogen, dat hij het zelf is geweest, de geile elftalleider, dat hij de schuldige is.

In de hal raken de door luidsprekers verspreide mededelingen af en toe bedolven onder het rumoer van de bouwwerkzaamheden. Ook op zondag wordt hier geboord en gehakt. Zodra het kabaal verstomt, blijken de gegevens op het elektronische dienstregelingpaneel niet synchroon te lopen met de laatste ontwikkelingen die worden omgeroepen. Wat wordt omgeroepen, stemt op zijn beurt niet overeen met de stand van zaken op de perrons.

De man met de reistas staat op het perron. Passagiers worden treinen in gedirigeerd door spoorwegmedewerkers en weer naar buiten gebonjourd door de conducteurs. Verwilderd raadplegen de reizigers hun smartphones, vergelijken wat ze op het schermpje zien met wat de perronborden vermelden. Daarop staat zonder enige uitzondering: NIET INSTAPPEN. Soms komt er nog een trein aan. Van vertrekken is voorlopig geen sprake.

Voor het station staan de taxi's te wachten. In een van die taxi's de man die brak.

10:18 UUR

Mijn taxi heeft de kleur van oude lucht. Zo'n lucht die al dagenlang verveeld boven de stad hangt. Leigrijs of zoiets. Een kleur van niks, maar de hemelsblauwe nummerborden steken er wel mooi bij af. Alsof ik tot een of ander diplomatiek korps behoor, buitengewone rechten geniet op vreemde bodem. Liz vindt ze mooi, die nummerborden. Hemelsblauw is haar kleur, samen met turquoise. Al die vestjes en jurkjes in de kast, voer voor de motten. Hoe lang sta ik hier nu al? Nog twee taxi's voor me. Collega's met wie ik niet wil praten. Omdat ik hun gelul niet verdraag. Omdat ik nog altijd een vreemdeling voor hen ben. Vandaag heb ik geen behoefte aan hun grappen. Hoef ik niet te horen wat voor malloten ze in hun wagen hebben gehad en welk lekker wijf er naast hen zat, of over de toerist die ze hebben opgelicht.

Er zit een donkere vlek op de grijze stof van mijn broekzak. Heb ik daar soms wat koffie geknoeid uit de thermosfles die braaf naast mijn stoel staat? Hoe lang ben ik nu al wakker? Normaal gesproken zou een liter koffie daar niet tegen kunnen opboksen. Al die mensen die aankomen, de meeste met oortelefoontjes, alsof er een dokterscongres in de stad is en ze alvast hun stethoscoop uittesten. Ze horen de haperende ademhaling van de stad, het verstoorde hartritme, ongewoon gejaagd vandaag.

Ik kan het niet helpen naar de donkere vlek op mijn broekzak te staren. En tegelijkertijd voel ik het gat in mijn rechtersok, ter hoogte van mijn grote teen en ter grootte van een hagedissenei. Hoe lang zit dat gat daar al? Probeer er niet aan te denken. Probeer buiten jezelf te treden.

Een meisje in een blauwe regenjas met witte stippen kijkt om zich heen. De man die haar zou ophalen, is er nog niet. Misschien komt hij wel nooit meer, heeft hij onderweg een ongeluk gehad en wordt hij nu in een geheel andere richting weggereden, een transparant beademingsmasker op zijn gezicht. Ze hebben het druk vandaag, de ambulances.

Het regent nog altijd. Al die klapwiekende paraplu's – neerstrijkend voor de vertrekkende reizigers, opvliegend voor de arriverende mensen. De tijd die wegtikt hoewel de stationsklok niet meer vooruit te branden is. De ruimte die pulseert, krimpt, uitdijt, volloopt, leeggezogen wordt. En daar middenin, omsloten door een capsule van staal, kunststof en glas, zit ik, klaar om gelanceerd te worden, weg van waar ik ben, waar ik was, weg van afgelopen nacht.

Zo ver weg gaan dat het lijkt alsof ik niet meer besta.

Het meisje in de blauwe regenjas met de witte stippen loopt richting het busstation. Ze heeft vergeefs gewacht.

Ik ben nu de eerste in de rij. Lang kan het niet meer duren. Snel nog even een bekertje koffie. Niet dat ik bang ben slaperig te worden. Nee, na vannacht zal ik nooit meer mijn ogen dichtdoen. Tenzij...

Het meisje stapt de bus in. De deur vouwt zich achter haar dicht. Als haar vriend nu toch nog aan komt rijden, is het te laat. Via hun mobiele telefoons zullen ze hun coördinaten uitwisselen, proberen elkaar niet kwijt te raken. Pas daarna, als ieder zijn eigen vervoermiddel heeft verlaten en ze tegenover elkaar komen te staan, ieder onder zijn eigen paraplu maar verder zonder schild, aanraakbaar, schendbaar, dan pas zal de woede tot uitbarsting komen en zullen ze elkaar te lijf gaan, eerst verbaal en na hooguit vijf minuten, wanneer de woorden hun bloed hebben opgehitst en in hun oogwit een vlechtwerk van rode adertjes is verschenen, ook met hun handen, zij krabbend en klauwend, hij stompend en slaand, totdat...

Getik op het portierraampje. Een zegelring en daaraan vast een heer in een waxjas. Een koffer, verdomme.

Ik schiet de wagen uit, ik voel iets in mijn broekzak bewegen. Een man met een snor en met een enorme koffer. Of ik hem naar de Dageraadlaan kan brengen. Ja, dat kan ik, maar die koffer is een probleem, dat wil zeggen...

'Ik heb een probleem met... ik bedoel, het slot van mijn kofferbak is kapot. Als u het niet erg vindt, zetten we uw bagage op de achterbank. Akkoord?'

Hij vindt het 'excellent', zo blijft hij zo dicht mogelijk bij zijn bezit. Kan ik helemaal begrijpen. Ik til de koffer mijn auto in en denk: het paard van Troje. Misschien zit daar wel een machinepistool in. Of allerlei goochelspullen – dat hij mij wegtovert en nooit meer terug laat komen.

De heer neemt naast mij plaats. Hij ruikt naar oude hond. Zweet ik of is het de regen die mijn voorhoofd heeft bevochtigd? Ik noteer de kilometerstand in het rittenboekje, zet de meter aan, laat de koppeling opkomen. Onwankelbaar ben ik, wie kan mij wat maken?

We hebben het stationsplein nog niet achter ons gelaten of de klant begint al te kwekken. 'Drie-drie-negen-negen. Wat een duivels toeval! Of is het goddelijke voorbeschikking, u zegt het maar. Feit is in ieder geval dat uw taxi hetzelfde nummer heeft als het huis van Tintoretto in Venetië. En dat stond ik gisteren nog te bewonderen. Kent u Tintoretto?'

Een blikkerige stem. Woorden van metaal die tegen elkaar botsen. Ontsporende treintjes. Tintoretto, dat is toch...

'Tintoretto. Een schilder, is het niet?'

'Excellent! Niet alleen heeft uw taxi een magisch nummer, maar de chauffeur is ook nog eens een *gebildeter Mensch*, niet zo'n sportschooljongen met anabolen in zijn armen en confetti in zijn kop. Tintoretto, het Ververtje, in werkelijkheid Jacopo Robusti, wat in mijn optiek een adequatere naam is voor dit genie, want grote goden, wat heeft die man een robuuste penseelvoering, fenomenaal gewoonweg!'

Een mens die in uitroeptekens en superlatieven denkt. Zich net zo robuust wil uitdrukken als zijn idool. Dat soort mensen heb ik altijd gewantrouwd. Liz houdt ervan, hield ervan, van dat overdrevene, dat zogenaamd hartstochtelijke. Onstuimig zijn, zelfs in je vertwijfeling, je overmoedig gedragen in plaats van afgemeten. Dat wilde ze van een man, van mij. Bijt in mijn hand, zei ze een paar maanden geleden toen we lagen te rollebollen. Maar ik deed het niet, ik kon er niet meer in meegaan, ik was bang dat mijn zwakke tandvlees ging bloeden.

'Het doet pijn om hier te zijn. Venetië was weer hemels, een stad die altijd verrast met haar uitbundige vormentaal, met dat intense, bovennatuurlijke licht! Par excellence een schepping van Tintoretto!' Hij heeft de treintjes weer op de rails gezet, ze ratelen zijn mond uit. En dan: 'Bent u er weleens geweest? Ja, ik weet zeker dat u die magnifieke stad kent!'

'U heeft gelijk, ik ben er geweest. Op huwelijksreis.'

Hij grijnst. Krakkemikkige tanden. Het bleekroze tandvlees heeft bar weinig zin om dat ivoren boeltje nog vast te houden. 'Ik wed dat u daar was met deze vrouw.'

Een absurd lange vinger met een volmaakt ovale nagel wijst beschuldigend naar de madonna op het dashboardfotootje. Godverdomme. Poten weg, man. Kom niet aan mijn vrouw. Hoe durf je, walgelijke charmeur. Dadelijk meent hij nog het recht te hebben het dashboardkastje open te rukken en conclusies te verbinden aan wat hij daar aantreft. Het door de taximaatschappij verstrekte vuistvuurwapen, de

Smith & Wesson .44 Magnum, om agressieve klanten op afstand te houden. De stadsplattegrond, zelden geraadpleegd omdat het wegennet in mijn hoofd zit geprint. Een ijskrabber. En dan nog wat papieren die beweren dat de man achter het stuur degene is die sinds kort nergens meer is, niemand meer is.

Heb ik die fat naast mij geantwoord? Heb ik geknikt, beaamd dat ik met Lizzie in Venetië was? Ik weet het niet. Ik druk het gaspedaal in alsof ik aarde aanstamp. Een molshoop. Een dichtgegooide grafkuil.

De man lacht en zegt: 'Dan bent u met uw prachtige vrouw vast en zeker ook naar de Scuola di San Rocco geweest om de schitterende Bijbelse taferelen van Tintoretto te bewonderen, *De kruisiging van Christus, Het Laatste Avondmaal, De kindermoord van Bethlehem*... En natuurlijk heeft u ook de kerken gezien waar hij hangt, de San Lazzaro dei Mendicanti, de Santa Maria della Salute, de Madonna dell'Orto met *De onthoofding van de heilige Paulus*, de San Trovaso met *De verzoeking van de heilige Antonius*...'

Ik zeg dat ik het me niet kan herinneren, het is immers zo lang geleden. In werkelijkheid wilde ik geen enkele kerk binnengaan omdat al die Italiaanse kerken propvol kitschzooi zijn gekwakt – letterlijk elke vierkante centimeter opgedoft en gebotoxt. Dat in Venetië zowat elke kerk een Tintoretto heeft, wist ik niet. Dat heb ik mezelf dus onthouden. En Liz. Een gemiste kans.

De klant laat zijn versleten tandvlees weer zien. Het is geen grijnzen nu, het is eerder een soort zenuwtic. De snor maakt een sprongetje. 'Maar dan... dan heeft het geen indruk op u gemaakt! Het liet u koud, Tintoretto liet u koud. Het deed u niets, die gevoelvolle *maniera*, die dramatische composities, die duizelingwekkende vervormingen, die gevoelvolle plasticiteit, dat hondsbrutale kleurgebruik, die revolutionaire lichtbehandeling. Anders was het u wel bijgebleven. En uw vrouw dan, raakte die niet onder bekoring van die expressiviteit, van de schoonheid van die uitzinnige vormen? Dat kan ik me haast niet voorstellen.'

Ik beperk me tot een Gioconda-achtige glimlach. Dat ie z'n bek houdt. Waar bemoeit hij zich mee, wat weet hij ervan? Tot mijn achttiende hield ik van de kleur paars en van barokke kerken, die waren volgestouwd met marmeren zwellichamen en abcessen van albast en porfier. Maar daarna ging ik al die protserigheid en al dat pompeuze steeds meer verafschuwen. Hoe schraler en kaler een ruimte was, hoe beter. Weelderige vormen kon ik alleen nog waarderen bij vrouwen. Bij Liz. Bij Lizzie. Lekker mollig wijf. Maniërisme in optima forma. Een en al contorsie. Fantasmagorisch vlees. Ja, meneer de wijsneus, ik weet er heus wel wat van af. En dan dat kapsel van haar, daar kan geen Tintoretto tegenop. Boordevol spiraalvormen, dynamische diagonalen en explosieve perspectieven. De spectaculaire lichtval en lyrische schaduweffecten in dat vlammende haar. In plaats van die dandy deze ode cadeau te doen kijk ik zwijgend naar de handen op het stuur, het horloge dat op mijn pols glinstert. De rusteloze wijzerplaat. De guillotinescherpe wijzers die de tijd aan repen snijden. Totdat er alleen nog maar draadjes zijn en daarna flintertjes, splintertjes, stofjes, as. As, ja.

'Heeft u geen TomTom?' De Tintoretto-fan verandert van onderwerp. Met mijn uitgestreken smoel heb ik hem terug op aarde gebracht, terug in deze verregende en naargeestige stad anno 2012. Naarmate de jaren vorderden, verfoeide Liz mijn gelijkmoedigheid steeds meer. Nooit eens onverbloemd enthousiast. Altijd zo gruwelijk beheerst.

'Maakt u zich geen zorgen, meneer, die navigator zit in mijn hoofd, ik weet waar we zijn moeten. Ik ben nog van de generatie taxichauffeurs die een uitzonderlijk grote hippocampus hebben omdat ze elk dwarsstraatje van deze enorme stad in hun geheugen moesten opslaan. Een halve dag lang zat er een examinator naast je en die noemde een of ander doodlopend steegje en dan moest je via de kortst mogelijke weg daarheen rijden. En vandaar weer naar een pleintje in een buitenwijk aan de andere kant van de stad. En zo voort, zonder mankeren.'

Was ik maar de weg kwijt, verdomme, wist ik maar niet meer waar ik ben, waar ik heen ga. Ik ken elke lantaarnpaal hier, maar ik wil het allemaal niet meer weten.

'Dan heeft u zich in Venetië destijds ongetwijfeld goed kunnen oriënteren met die hippocampus van u.'

Hij wil hier niet zijn. Hij wil terug naar Venetië, naar die bovenaardse voorstellingen van Tintoretto.

'Eigenlijk... eigenlijk hebben mijn vrouw en ik toen nauwelijks de stad verkend. We bleven zowat de hele dag op onze hotelkamer, in ons bed. We hadden genoeg aan elkaar. De schoonheid van mijn vrouw duldde geen concurrentie.'

Ik druk me belachelijk uit. Ik lieg bovendien. Eén keer in de twee dagen vond ze toen al voldoende. Ze verlangde terug naar haar bruidsjurk. Ze miste de tientallen afgunstige ogen die op onze trouwdag onophoudelijk om haar sprookjesachtige gestalte heen cirkelden. In de smalle, schemerige Venetiaanse straatjes viel ze amper op. Hooguit loerde af en toe een Italiaan naar haar borsten. Dat was niet genoeg.

Mijn klant grabbelt in zijn snorretje. Vindt niks, zegt: 'Maar dan... dan moet u absoluut nog een keer terug naar La Serenissima! De schade inhalen. Ik neem althans aan dat het vuur van toen enigszins tot bedaren is gekomen. U bent nu beiden rijper, minder kortzichtig, minder op elkaar gericht, bedoel ik. U kunt nu ook genieten van de pracht en praal die anderen hebben opgericht. U zult zich bijvoorbeeld laven aan het buitengewoon levendige tafereel van *Het wonder van de heilige Marcus* in de Gallerie dell'Accademia. De bedrieglijke dieptewerking, de rusteloosheid van de compositie, de vervreemdende plaatsing van de figuren in de ruimte, en dan dat verontrustende chiaroscuro dat de voorstelling iets spookachtigs geeft, iets onwerkelijks... Dit is Tintoretto op z'n best, daar kan haast geen ander werk van hem aan tippen.'

Hij praat als een reisleider die er niet in slaagt zijn explicaties natuurlijk te doen overkomen. Gezwollen, gezocht. Maniëristisch inderdaad. Maar dan minder virtuoos, houteriger. Een pathetisch heerschap. *Ik neem althans aan dat het vuur van toen...* Je moest eens weten, meneer de kunsthistoricus! Je bent omringd door schroeiplekken en naast je zit een vent die in brand staat. Een man die aan het einde van de dag hartstikke verkoold is, een hoopje as. As, ja.

Ik rem af. Er steekt een blinde over. Het uiteinde van zijn stok landt telkens precies tussen de witte strepen van het zebrapad. Geboren in duisternis, geborgen in duisternis. Hij weet niet beter. Zijn blikveld is nooit ondergekliederd door tintorettiaanse lichteffecten en dramatische kleurcontrasten. Hij weet niet wat bedrieglijke dieptewerking is, zag nooit de vervreemdende glimlach van een vrouw, de spoken in haar ogen.

Ik duw op het gaspedaal en de pijn waaiert uit zoals achter de ruiten van de taxi de bomen en de gebouwen hun omtrekken verliezen en vlekkerig worden. De wereld verandert in een kleurboek, met waskrijtjes volgekrast door een peuter. Ik ben weer veilig. En ver weg.

Maar de man naast me geeft niet op. Missionaris van het tintorettisme. Zijn blikken woorden rammelen zich weer een weg naar buiten. 'Maar u moet weten, mijn favoriete Tintoretto bevindt zich niet in de stad waar hij altijd heeft gewoond. Niet in dat dekselse Venetië. Nee, de mooiste Tintoretto hangt in de Alte Pinakothek in München, *Venus en Mars betrapt door Vulcanus.* Uit circa 1551. Een juweel. Een scène uit de klassieke mythologie die in Tintoretto's handen een volstrekt origineel verhaal wordt. Klucht en tragedie tegelijk. Zoals de gespierde smid Vulcanus tevoorschijn springt en een laken wegtrekt om te onderzoeken of zijn vrouw Venus overspel heeft gepleegd met Mars, de god van de oorlog. De kracht die daarvan uitgaat. Dat schitterende, haast achteloos geschilderde maar cruciale detail van Venus haar schoothondje – cruciaal omdat dat rotbeestje haar bazin zal verraden door te gaan blaffen naar Mars, die zich onder een tafel verbergt. En dan de medeplichtige Cupido die doet alsof hij slaapt. De samenballing van narratieve potentie in dit schilderij is weergaloos. Hier gebeurt van alles en hier gaat nog veel meer gebeuren. Dit is een razend spannende cliffhanger, een film die op het moment suprême is stilgezet. Dit is even oerkomisch als diep tragisch, begrijpt u dat?'

Ik knik. Ik knik aan één stuk door, minutenlang lijkt het. Op mijn linkerpols rent een rode wijzer rondjes. Een wijzer die eruitziet als een minuscule sloophamer. Tik tik. En alles stort in. Cadeautje van Liz, die sloophamer, dat naar een Zwitserse stationsklok gemodelleerde horloge. Hoe is het mogelijk? Duivels toeval of goddelijke beschikking – om te spreken met de woorden van de infiltrant naast mij. Eerst die voetballer met dat krankzinnige verhaal van de overspelige elftalleider en nu deze dwaas met zijn gebazel over de god van het vuur die zijn vrees bevestigd ziet, die weet dat het foute boel is met dat klotewijf van 'm. Dat mij dit moet overkomen. Dat dit zich in mij moet vreten, mij opvreet. Ik moet die gast lozen, zo snel mogelijk uit mijn leven verdrijven.

Bij de tramremise links, de Braambosstraat in. Sneller, fuck die kinderkopjes. De asbakken van de achterportieren klepperen. Of zijn het de ijzeren woorden van mijn passagier? Nonsens, het zijn de asbakken, zinloze relieken uit een tijdperk waarin de klanten zich nog mochten verschuilen in een blauwe wolk. Dat geluid... hoefijzers op steenslag. Daar gaan ze, twee hengsten die hun ruiters hebben afgeworpen en verwilderd over de wegen jagen met braakselkleurig schuim op de lippen en bloederig slijm in de sidderende neusgaten die gevaar ruiken maar niet weten waar het vandaan komt en wanneer het zal toeslaan... Eén ruiter ligt in de modder, hij bloedt als een rund, en de andere... shit, nee, ik heb me vergist, de ander zit nog in het zadel, de prins op het paard, hij volgt het spoor terug, hij...

Wat doet die hand daar? Die met zwart gras begroeide klomp vlees. Op mijn arm. Neemt hij me in hechtenis, is het einde verhaal? '*Piano, piano*, beste man. De wereld vergaat vandaag niet, ik heb alle tijd. Er wacht thuis niemand op mij en de toekomst kan me gestolen worden. Het verleden heeft ons veel meer te bieden, vindt u ook niet?'

Hij heeft gelijk. In alle opzichten. De ene hand op mijn arm, de andere vastgeklampt aan de veiligheidsgordel. We schieten langs een bloedrode bestelbus. Een postwagen met in zijn buik liefdesbrieven, overlijdensberichten, dwangbevelen. Komt allemaal op hetzelfde neer, uiteindelijk.

Ik minder vaart. De asbakken houden hun smoel. Rechts op de stoep loopt een hond. Een eigenaar valt niet te ontdekken. Misschien een zwerfhond. Liz was bang voor honden. Anderzijds zeurde ze altijd dat ze een puppy wilde hebben. Het ging er bij haar niet in dat puppy's groot worden. Kon ze gewoonweg niet vatten. En dat ze allergisch voor hondenhaar was, vergat ze voor het gemak ook maar. Dat ik niet begreep dat ze hunkerde naar een puppy vond ze onbegrijpelijk. Lizlogica.

Opnieuw landt een behaarde hand op mijn arm. 'Kunt u niet een omweg maken? Betaald, uiteraard. Aankomen is niet mijn fort. En al helemaal niet als het om mijn eigen huis gaat. Dat is vooral geschikt als vertrekpunt, begrijpt u?'

Ik knik en rijd wijk 4 weer uit. Mijn wagen puilt uit van de besluiteloosheid. Twee mannen die een overval hebben gepleegd en niet naar huis kunnen omdat de politie hen daar opwacht. Een *getaway* met als enige doel in de duisternis te verdwijnen, onachterhaalbaar te worden.

In wijk 5 staan minder villa's maar meer bomen. Daar had Liz graag willen wonen, tussen de beuken, de berken, de kastanjebomen en de grijze eekhoorns. Om er te wandelen met de hond die ze nooit heeft gehad. De hond die ze helemaal niet wilde hebben. Een hond die van droomstof was gemaakt.

Langs de voortuintjes rennen twee joggers, een man en een vrouw. Hij met een knalrood hoofd. Zij met een belachelijk grote koptelefoon. Ze lopen hun libido aan gort, zoveel is zeker. Liz deed niet aan sport, vond ze iets voor mensen zonder hersens. Niet dat ze daardoor altijd genoeg energie overhad voor woeste seks. Oproerig bloed had ze. Geen peil op te trekken. Nu eens ongebreideld geil, dan weer totaal futloos. Wat ze meestal deed, was afwachten en dan instemmen of afkeuren. Niet alleen met seks trouwens. Met alles. Knuffelen, dat wilde ze wel altijd. Daar was ik minder goed in, dat deden ze bij ons thuis nooit. Ik wilde haar bespringen, met mijn handen in haar onderbroek woelen, op haar tong zuigen, op haar tepels bijten, in haar binnendringen. Mezelf verliezen, niet mezelf bevestigd zien doordat iemand over mijn bolletje aait.

De passagier trekt aan de haartjes op de rug van zijn hand. Hij ziet dat ik het zie, richt zijn hoofd op, zegt: 'Thuis wacht mijn moeder op me. Ze kan nauwelijks meer lopen en ze is doof. Als ze geen tv kijkt, maakt ze aquarelletjes. Landschapjes, stillevens, eekhoorntjes die op beukennootjes knabbelen. Ze is nog nooit in Venetië geweest, nog nooit in het buitenland. Ze begrijpt niet waarom ik steeds wegga, wat ik buitenshuis te zoeken heb. Elke keer weer vraagt ze me of het om haar is dat ik op reis ga, of ik haar soms haat. En dan moet ik brullen of opschrijven dat het met haar niets te maken heeft, dat het mijn rusteloze aard is, dat ik onderweg moet zijn om iets van geluk te ervaren.'

Met mijn pink tik ik de richtingwijzer aan. De taxi knipoogt terwijl er geen sterveling te bekennen is op deze weg. Ik zit opgescheept met een druiloor die nog bij zijn mammie woont, een leugenaar bovendien. Zei hij eerder niet dat niemand thuis op hem wacht? De wereld ettert van de leugens. Maar van mij mag hij erop los ouwehoeren, zolang ik geen vragen hoef te beantwoorden. Ja, lul maar raak, stakker. Vertel me over de stoelgang van je moeder, over de medicijnen die ze neemt, de echtgenoot die haar sloeg totdat hij een hartaanval kreeg. Overgiet me met de tomeloze kleuren van Tintoretto, met zijn bolbliksems; dompel me onder in zijn grafzwarte schaduwen. Kom op, breng rapport uit over je zoektochten in de darkrooms van deze stad, voor de draad ermee, ik weet heus wel dat je je graag in je kont laat pakken. Ik wil er alles over weten, hoe het is om je lul in zo'n gat te steken, *gloryholes* heten die dingen toch, en hoe het aanvoelt als zo'n stel anonieme lippen op je eikel sabbelt, vooruit, gooi al die smeerlapperij er maar uit, ik ben een en al oor, aan mij heb je...

'Pas op!' De harige hand klauwt in mijn mouw.

Tegelijkertijd trap ik rem- en koppelingspedaal in. De nar spartelt, rinkelt. Een pluim dwarrelt over het wegdek, ijzergrijs. Heb ik hem geraakt?

Nee, de eekhoorn leeft nog. Hij schiet de stoep op, een boom in. De kunst van het verdwijnen. De allerhoogste kunst.

Opschakelen. Van de een naar de twee, simpeler bestaat niet. Alsof er niks is gebeurd. Alsof dit een dag als alle andere is.

De man naast mij grijnst. 'Volgens mij bent u niet meer helemaal bij de zaak. Rijdt u me maar naar huis voordat er ongelukken gebeuren. Dit heeft allemaal geen zin. Uiteindelijk moeten we ons lot onder ogen zien, niet?'

'Zoals u wilt', zeg ik. 'Die eekhoorns zijn een ware plaag. Ze vermenigvuldigen zich als ratten. Ik verzeker u dat er elke dag wel een paar van die rotbeesten onder een taxi komen. En dan kunnen we fluiten naar een fooi want de klant heeft altijd medelijden met zo'n zogenaamd weerloos wezen. En de klant wil niet geconfronteerd worden met de dood. De klant wil kunnen wegdromen.'

Zeg ik te veel? Volgens Liz zei ik altijd te weinig. Hoe ouder je wordt, hoe minder je op je lever hebt. Dat zei ik dan. Om maar iets te zeggen te hebben. Zelden flap ik er nog iets uit, ik weeg mijn woorden en kom tot de conclusie dat ze geen enkel gewicht in de schaal leggen. En dus zwijg ik terwijl het koor in mijn hoofd steeds luider en valser gaat zingen.

De spoorlijn over en dan rechts. Daar zijn ze weer, de villa's, de glanzende auto's op de opritten, de geschoren gazons. Meneer woont op stand. Maar meneer is liever elders. In een museum waar de godin van de liefde een vluggertje heeft gemaakt met de god van de oorlog. In een kerk waar een heilige wordt onthoofd. In een stad waar je voortdurend verdwaalt.

Hij grabbelt weer in zijn snor. Geen houvast daar. Slechts haartjes die iets verbergen. Een hazenlip wellicht. Op een goede dag, nee een kwade dag, een verdomd kwaaie, rottige dag, zag ik dat het weg was. Eraf, hartstikke eraf. Haar haar. Haar haar van onderen. Helemaal weg. Open en bloot ineens, zonder een pubispantser. Louter opengesperde beschikbaarheid. Ze zei dat alle vrouwen dat tegenwoordig deden. Scheren was in de mode en zij was per slot van rekening een moderne vrouw. Ze zat toen al boordevol leugens.

De Dageraadlaan. Een straat met hooguit acht huizen. Burchten veeleer. Ieder voor zich. Op nummer vier woont hij, de verloren zoon met zijn dove moeder. Of ik daar maar even zou willen stoppen.

'Excellent', mompelt hij. Alle kleur is ineens uit zijn gezicht gevloeid. Hier sterft de reiziger. Een breekbare heer met barsten in zijn waxjas stapt uit. Motregen valt op hem neer. Nee, ik hoef hem niet te helpen met zijn koffer. Met zichtbare inspanning trekt hij het gevaarte van de achterbank. Het hobbelt achter hem aan, de wieltjes grommen op de grindtegels.

Een vitrage beweegt. De moeder heeft ons horen aankomen. Maar was zij niet doof? Het schimmige gezicht verdwijnt. De man verdwijnt. Daarbinnen zal de confrontatie plaatsvinden. Woorden die geen gehoor vinden. Drieste gebaren. Een bloedbad.

Boven de voordeur waarachter de man is verdwenen, hangt een balkon. Misschien dat de moeder daar vaak staat, urenlang wachtend op haar zoon. Nu staat er slechts een kerstboom. Een kerstboom in de regen. Met ballen en al. De weinige naalden aan de takken zijn roestbruin, de houdbaarheidsdatum van die boom is al lang verstreken.

Zodra de man met de rolkoffer het huis betreedt, doorsteekt het gepiep van wieltjes de gewijde stilte. Meteen wanneer de koffer tot stilstand komt, zindert het huis opnieuw van de stilte. Zelfs de met houtworm geperforeerde trap geeft geen krimp. Alsof hier al maandenlang niemand meer woont. Hij kijkt achterom. De taxi staat er nog. Misschien moest hij de chauffeur naar binnen noden, hem zijn vriendschap verklaren. Die man was een geestverwant.

Een doffe plof. De rolkoffer is omgevallen.

Voor het overige: alles op zijn vertrouwde plaats, roerloos en in zichzelf gekeerd. De dekenkist met erboven een landschapsaquarel achter glas. De kapstokhaken met erboven, op een rekje, een gleufhoed en een vilten pothoed. Het Perzisch tapijt in doornroosjesslaap op de marmeren plavuizen.

Alles verandert wanneer de deur naar de woonkamer wordt geopend. Deining en gedruis. Achter hem slaat de voordeur dicht en wordt de taxi uit zijn gezichtsveld weggekapt. Op de parketvloer rondwervelend stof, nee as die tussen scherven van aardewerk slalomt. Geritsel van een linnen gordijn in de zuidoostelijke hoek van de kamer, daar waar de glazen deur naar het terras een handbreedte is opengeschoven.

Niets klopt nog. Niet alleen de urn op de zwartmarmeren schoorsteenmantel ontbreekt, ook met de muur daarboven is iets mis: een krijtwitte rechthoek met een haak markeert onmiskenbaar de plek van een weggehaald schilderij. De ingelijste fotoportretjes – stuk voor stuk van dezelfde vrouw in diverse stadia van haar leven – staan niet meer fier overeind op het bijzettafeltje maar liggen zowel ruggelings als voorovergetuimeld erbij.

Hij zakt door zijn knieën, alsof hij doormidden breekt. Een sprinkhaan hupt frivool van urnscherf naar urnscherf en verdwijnt ten slotte met één reuzensprong naar buiten. Tussen de struiken van de tuin vlaagt een gedaante en aan de andere kant van het huis, op straat, zoeft een taxi weg.

10:39 UUR

Het ruisen en tjilpen van de mobilofoon. Alsof er verdomme honderden krekels in dat ding zitten opgesloten. De orde der rechtvleugeligen. De langsprietigen. Alleen de mannetjes schijnen geluid te kunnen voortbrengen. Een soort getande ader in hun vleugels. Vleugels die in een duizelingwekkend tempo langs elkaar strijken. Een waanzinaria voor de vrouwtjes. De vrouwtjes die de grootste schreeuwlelijk begunstigen.

Het meisje van de centrale heeft niks voor mij. Ik rijd in het luchtledige. Naar de dichtstbijzijnde standplaats lijkt de beste optie. Dierentuin Zuid. Als een schaakstuk word ik van standplaats naar standplaats geschoven. Wachtend op het moment dat ik geofferd zal worden. Of van het bord gemept.

Bijna had ik een eekhoorn overreden. Had ik verder moeten gaan met bloedklonters en vleesresten aan het chassis. Een uiteengereten wezen onder mijn voeten.

Af en toe iemand met een paraplu. Iemand met een hond. Zijn alle herdershonden speurhonden? De meeste mensen blijven vandaag binnen. Gelukkig hoef ik zelf niet te bepalen waar ik heen moet. Ik zou reddeloos verloren zijn.

'Tatax voor de driedubbelnegendubbel...'

'Driedrienegennegen', zeg ik in het bolvormige microfoontje.

'Ben jij dat driedubbelnegendubbel?' Het meisje klinkt aarzelend.

Hoezo ben ík dat? Waarom zou ik het niet zijn?

'Ja, de drieduizenddriehonderdnegenennegentig.' Nu pas begrijp ik mijn vergissing. Hoor ik het uit mijn eigen mond. Driedrienegennegen, dat zei mijn laatste klant. Het huis van Tintoretto. Waar hij met vrouw en kinderen woonde. Waar hij ook is gestorven. Of verzin ik dat nu ter plekke? Zo heb ik mezelf in ieder geval nooit genoemd: driedrienegennegen. Ik heb altijd de meest omslachtige manier gekozen om mijn nummer te noemen. De minst directe weg. En pas vandaag valt me dat op. Drieduizenddriehonderdnegenennegentig.

Of ik een klant wil oppikken op Straat 86, wijk 3, nummer 146. Of ik daar binnen vijf minuten kan zijn. Kan ik, wil ik. Een vrije rit. Zonder omwegen elkaar benaderen: dat wilde Liz. Geen ironie, geen weifelingen of zijwegen. Recht in het hart. Driedrienegennegen. Voor haar was liefde: vastgepakt worden of te horen krijgen dat je van haar hield. Alles zo expliciet mogelijk. Ik vond dat te simpel. Deed me niks, zei me niks. In affectieve aangelegenheden was ik meer van het... het tintoretteske... spiraalachtige draaiingen, suggestieve penseelstreken, langgerekte vormen. Drieduizenddriehonderdnegenennegentig. Altijd geloofd dat ik door afstand te scheppen mijn geliefde aan me kon binden. En nu? Zelfs die Tintoretto-freak zei driedrienegennegen. Om bij mij in de buurt te komen. Om meteen mijn aandacht te vangen. Maar toch. Hij liet me een omweg maken, hij deinsde ervoor terug de kortste weg naar zijn dove moeder te nemen. Hij ook.

Is angst niet een vorm van ijdelheid?

Kom nou. Concentreer je op de weg. Geef richting aan om de bestuurder achter je op de hoogte te stellen van je beslissing. En laat al die interpretaties over aan de zielenknijpers van deze wereld. Laat het los, zou zo'n deskundige misschien zeggen – waarop ik me van hem zou afkeren, want iemand die zich zo uitdrukt, verdient niets dan wantrouwen.

Ineens ben ik weer tussen de torenspitsen en de kantoorkolossen. Midden in het leven. Een deelnemer. Door boodschappentassen omstuwde voetgangers waggelen naar de overkant. Gaan zich thuis volvreten of volhangen met oorbellen, kettinkjes, horloges, ringen, jarretelles. Nog twee keer links en dan ben ook ik waar ik zijn moet. Bij degene die me zal vertellen hoe het verder gaat.

Gelukkig hoef ik de wagen niet uit want de klant staat al buiten. Een jonge vrouw in rijkostuum. Het haar samengepropt tot een knotje. Zweepje in de met leer beklede rechterhand. De andere hand opent het achterportier. Kou golft naar binnen, gevolgd door iets wat op oranjebloesemgeur lijkt.

'De stadsmanege. Martelarenplein.'

Die hoeft geen verhaal kwijt. Die heeft geen dove moeder. Gecondenseerde communicatie, twittertaal. Geen woord te veel. Waarschijnlijk wilde haar eigen autootje niet starten – terwijl ze niet gewend is tegengesproken te worden. Wat is dat voor parfum? Chanel Chance? Pure Poison? Nee, het is zwaarder, het heeft iets van patchoeli. Gucci misschien. Best mogelijk dat ik dit geurtje ooit voor Liz heb gekocht. In de taxfreeshop. Toen moeder nog leefde. Toen ik nog geen ruzie had met zuslief en haar man. Eén keer per jaar op de luchthaven een nieuw geurtje voor Liz. Dan liet ik me van mijn meest genereuze kant zien. Ik wachtte totdat een mooie vrouw verscheen en al die fallische flacons begon te betasten. Ik benaderde haar met mijn gulste glimlach, vroeg haar wat zij gebruikte, met welke reukstof zij haar schoonheid bevleugelde. En elk jaar opnieuw prees Liz mijn gedurfde keuze, mijn gedistingeerde smaak. Zodra ze zich besprenkelde met het door mij gekochte parfum en een kooi van essences zich rond haar sloot, voelde ik me haar cipier. Dan was ze helemaal van mij, ze kon geen kant op zonder mijn toestemming. En tegelijkertijd was het alsof ik twee vrouwen tegelijkertijd bezat: de vrouw wie ik de geur had ontfutseld en de vrouw die deze geur droeg alsof ik hem voor haar had uitgevonden.

Sukkel die je bent. *She was born in spring but I was born too late.* Kijk nou eens naar de handen op dat stuur. Op dat knobbelige stuur. Dezelfde handen die op haar sleutelbeenderen lagen. Zo vaak. Tot op het laatst. Die haar naar achteren drukten, naar het bed of de bank, waar ik haar nam. Waar ik haar meende te bezitten.

Waarom vraag je het niet gewoon? Niet dat je het antwoord nog kunt verzilveren. Maar om al deze dwaalgedachten een halt toe te roepen. En of de paarden zo'n sterk geurtje niet storend vinden. Met hun gevoelige neusvleugels, hun neusgaten groot als bierviltjes. De paarden van de buren. Van daarginds, waar niemand je meer kent. Hoe oud was ik toen? Tien, elf misschien. Eigenlijk te klein voor die beesten. Maar ik ging er graag op zitten, ook al gooiden ze me er vaak genoeg af. Vanaf het hek klom ik op hun rug terwijl vriend Paul het paard bij de halster vasthield. En dan een klap op de achterhand en onder me begon die hele fijn afgestelde machinerie te trillen – en weg was ik, zonder zadel, zonder teugels, ik zocht houvast in de manen en mijn kuiten drukten tegen de warme buik van het paard. Alsof ik tegelijk vloog en landde. Dwarrelde en hobbelde. Leren vallen, daar ging het vooral om. Vallen zonder iets te breken of te kneuzen. Ik had nog een soepel lichaam. Een lichaam dat overal om lachte. Toen ik in het land van Liz ging wonen, heb ik nooit meer op een paard gezeten. Maar het vallen ging door, en het deed steeds meer pijn.

Nu is het te laat. Ze is niet meer bereikbaar. Preciezer: ze is ergens anders. Druk bezig. Nagels die tegen toetsjes tikken, een geheime boodschap wegsturen. Het Nieuwe Vingeren. In honderdzestig tekens klaarkomen. En ondertussen naar de stadsmanege gereden worden door een onbekende man. Makkelijk zat. Vingers die met meer tederheid die kunststoffen of metalen vierkantjes strelen dan ze ooit gedaan hebben bij de huid van een geliefde. Vingers die met evenveel gemak zeggen 'rot op, wil je niet meer zien' als 'waar ben je, mis je vreselijk'.

En ook buiten wemelt het van de boodschappen. Uithangborden, billboards, neonreclames, vlaggen met een logo. Opdat men weet wat er te koop is. Opdat men niks mist van deze overvolle wereld. Liz vond de commercials op tv nooit storend, keek ze graag naar. Die zoog ze op en later onder de douche stroomden de reclamedeuntjes uit haar mond samen met het klaterende water. Ik wilde altijd wegzappen of het geluid zachter zetten maar Liz stond de afstandsbediening nooit af. Daarmee was ze net zo vergroeid als met haar mobieltje. De smartphone, het stomste ding uit de geschiedenis van de mensheid. Een orgaan dat nu eens uit haar oor stulpte, dan weer uit haar heup puilde of haar handpalm deed zwellen. Weg was ze, ze behoorde mij niet meer toe. Haar lippen of vingers werden kwikzilverig – ze verdampte waar ik bij stond.

De paardrijlaarzen tikken de maat mee. Hop paardje hop. Het onnavolgbare ritme waarin woorden worden ingesponnen, lucht wordt gebakken. Traditiegetrouw ligt mijn mobieltje in een lade in het huis waar ik niks meer te zoeken heb. Herhaaldelijk bleek mijn beltegoed te zijn verlopen omdat ik het ding zo weinig gebruikte. Ik wilde er niet aan vastzitten. Ik wilde kunnen ontsnappen. Niet hoeven rapporteren waar ik was en waar ik heen ging. Liz verfoeide me erom. En wat als er een keer iets ergs gebeurt? Wat als ik verkracht word? Als ik onder de bus kom? Nou, dan bel je de centrale maar, die weten waar ik uithang, antwoordde ik altijd.

Ze wilde zich geborgen voelen, of liever: opgeborgen. Mijn hart als een bureaulade en daarin een stempel met drie letters uitgesneden in het rubber: LIZ.

Een wegomleiding, verdomme. Het aantal opengebroken straten in deze stad neemt met de dag toe. Verdwaalde mollen en maden allerwegen. Boomwortels die het plaveisel spataderen bezorgen. Glasvezelkabels ten behoeve van een gestroomlijnd elektronisch verkeer liggen in de weg. Mijn klant heeft niks door, ze sms't of pingt of twittert terwijl een reeds gezadeld paard op haar wacht. Zou ze haar mobieltje uitzetten tijdens de dressuur? Of wil ze ook bij het rijden van de kleine volte of het volvoeren van de gestrekte draf aanwezig zijn voor haar minnaar, haar baas, haar zus, haar vriendinnen?

Dan maar via de Laan van de Verenigde Strijdkrachten. Ik moet in de maalstroom blijven hangen die me door de stad sleurt, binnen de beslotenheid van mijn auto blijven zitten om buiten schot te blijven. Drie keer 'blijven' in één zin. Dat zou Liz nooit getolereerd hebben. Met taalgebruik was ze net zo nauwkeurig als met haar make-up. Tamelijk ongewoon voor een journaliste. Die nemen het niet zo nauw met spelling, syntaxis en maquillage. De opgemaakte Liz en de afgeschminkte Liz zijn twee verschillende vrouwen. Niet eens zusjes van elkaar maar de één van een europide ras, de ander stammend van een mongolide ras. De één behorend tot een patricische dynastie, de ander met de grove gelaatstrekken van een primitief menssoort.

Moet je dat zien, een damesschoen in de goot. Daar zit een heel verhaal aan vast. Een verhaal van verlangen en geweld, achtervolging en ontsnapping.

'Is het nog ver? Waar zijn we hier, rijdt u wel goed?'

Mijn klant is teruggekeerd naar het hier en nu. Een vluchtige blik over mijn schouder: de mobiele telefoon ligt roerloos en smoelloos op de rijbroek. Voor even geen verbinding, het beeld op zwart.

Ik stel haar gerust, praat haar bij over wat ze gemist heeft. Een wegomleiding met als gevolg een lichte vertraging. Een kwestie van overmacht. Was het dat ook vannacht? Dat rijmt. Liz vond dat je daar eveneens voor moest oppassen, voor onbedoeld rijm. Zeker in een journalistiek stuk. Dat leidde de aandacht onnodig af. De kern van de zaak, die moest je altijd in het oog houden. Zeggen waar het op staat. En al die zooi die ze op haar gezicht smeerde, de krullen die ze in haar haar draaide? Waren dat dan niet misleidende versierselen? Omdat ze voortdurend haar hoofdhaar aan het borstelen, modelleren en touperen was, vond ik het overal in huis. Zelfs in mijn contactlensdoosje en tussen de pagina's van mijn boeken trof ik soms Liz' opdringerige haren aan. Zo was het toch? Als arabesken. Als engelenhaar waaraan ik me sneed. In de afvoerbuis van de wastafel hoopte het zich op. Was de boel weer eens verstopt. Soms werd ik 's nachts wakker met rond mijn tong gewikkeld een verontrustend lange haar.

Het haar torende altijd boven haar uit, een wrong op haar hoofd. Ja, daar hield ze van, urenlang aan d'r haar frunniken, een kapsel construeren dat in een al lang vervlogen tijd de aandacht trok. Vooral de laatste maanden was ze daarmee bezig. Zoals ook het gepiel met haar mobieltje obsessieve vormen aannam.

Je moet de zwarte pijlen op het gele bord volgen. Dan kom je uiteindelijk weer waar je zijn moet. Een geheimzinnig spoor van haarspeldjes en haarelastiekjes door het huis. Ik raapte ze op, niet omdat ik hoopte de weg terug te vinden, maar uit irritatie om de wanorde in mijn woning. Ze vond me bemoeizuchtig als ik daar iets van zei. Het krabben van haar achterhoofd dwars door al dat gestapelde haar heen, en altijd dat rusteloze heen en weer bewegen van haar voet alsof die boven een ravijn bungelde en een richel zocht. Kon ze evenmin waarderen als ik daar commentaar op had.

Bij zo'n wegomleiding ontbreekt meestal het belangrijkste bord. Vanaf een bepaald punt moet je het maar allemaal zelf uitzoeken.

Ze wilde dat ik bij alles van haar betrokken was – bij elk pukkeltje, bij elk onderbroekje, elk droompje, elk opmerkinkje van haar baas, elk conflictje met een collega. Wat vind je van dit, wat vind je van dat, en dan ging het meestal om een jurkje of een haarkrul. Maar als ik mij betrokken toonde bij die opengekrabde hoofdhuid of die nerveus schommelende voet, verweet ze mij paternalistisch gedrag en...

'Mama! ... Mama! ... Mama! ...'

Is de vrouw achter me plotseling een jengelend kind geworden? In de achteruitkijkspiegel oogt de huid van het gezicht plooiloos als een strak getrokken operatielaken. Maar een kind? Nee.

Dat kind komt uit haar schoot gekropen. Uit dat apparaatje in haar handpalm. Die ringtones worden steeds krankzinniger.

'Hallo... Met mij, ja. Nee, ik zit in de bus. In de bus naar het station. Nee, niet met hem. Ik heb hem eindelijk de waarheid verteld. Wat? Nee, natuurlijk niet. Ik ben dat gekut zat. Maar ik kan niet praten nu, ik ben bijna bij het station. Bel je straks wel. Bye.'

Zo, zo, eindelijk de waarheid. Met haar glanzende paardrijlaarzen in de bus om van het gekut af te zijn.

Stel je voor dat die ringtone straks door de manegehal snerpt omdat de amazone geen afstand heeft kunnen doen van haar bereikbaarheid. Mama! Mama! De combinatie van dat gruwelijke geluid met de verpletterende geur van het parfum. De membraandunne oorschelpen en neusvleugels van het paard sidderen. Dit is te veel van het goeie. Paniek daalt

neer als een... een... een mes? Hop paardje hop wordt hol-
derdebolder. Wordt wilde galop. Bokken en schoppen. Vergeefs tast de hand van de amazone naar het mobieltje, telkens grijpt ze mis, het kind kan niet worden gesust, het kind
krijst maar door. En nu begint ook de vrouw zelf te gillen
en dol van angst raast het paard over de piste, achterbenen
en hoofd zwenken naar links, naar rechts, wit schuim vlokt
in het rond, de hals spant zich, de teugels schieten door de
handen van de jonge vrouw, de telefoon pirouetteert door de
lucht, mama! ... mama! ... en daar gaat ook de amazone, ze
tuimelt achterwaarts, een perfect uitgevoerde salto mortale
die eindigt met een doffe plof in het zand terwijl het paard
verder rent, alsmaar verder, totdat zijn hoeven het mobieltje
verbrijzelen en in zijn ooghoeken de zwarte cap opduikt als
een strontvlieg die moet worden verjaagd, die ogenblikkelijk vertrapt moet worden omdat...

'Hoe laat heeft u het?' vraagt de vrouw.

Nu ben ik het die er even niet was. Die zich liet meeslepen. Dom. Gevaarlijk. Blijf waakzaam, jongen. Blijf hande-
lingsgericht.

Het horloge op mijn pols vertelt me over het heden. Maar
stel dat ik het horloge omdraai, dan komt het verleden weer
op me af gedenderd. 12-8-1992. De datum van onze eerste
ontmoeting, in opdracht van Liz gegraveerd in het gebor-
stelde staal.

Ik vertel mijn klant hoe laat het is. Te laat kan ik niet meer
zijn. Dat ben je al geweest. *She was born in spring but I was
born too late. Blame it on a simple twist of fate.* Maar mijn
klant vindt dat we moeten opschieten. Ze heeft haast om
van haar paard te vallen. Om onder die hoeven terecht te
komen.

Rechts lantaarnpalen, links berkenbomen. Aan het eind
van de straat het stadsarchief. Daar kwam Liz vaak voor
haar werk. Om dingen tot op de bodem uit te zoeken. Om

te begrijpen hoe het zat. Dat had ik ook moeten doen, dan was het misschien... Nee, laat Liz met rust nu. Richt je op je klant. Wat weet je van haar? Ze heeft een kind en een vriend van wie ze af wil. Waarschijnlijk. Ze kent iemand aan wie ze de waarheid niet toevertrouwt. Zeker. Ze laat zich vergezellen door een mobieltje en een zweepje. Zonder enige twijfel. Ze is bang haar handen te beschadigen aan de teugels. Vermoedelijk. Zeg iets, praat met die vrouw. Maar wat dan? Er was toch iets met een paard. Een dood paard, ja. Op de radio hadden ze het erover, nu weet ik het weer.

'Heeft u dat ook meegekregen? Van dat beroemde springpaard dat na een foutloos parcours in elkaar is gezakt? Op weg naar de uitgang, pats-boem, een hartaanval geloof ik, niet?'

'Een gescheurde aorta', antwoordt de amazone achter mij met een vlakke stem. Het is een stem die zegt: luister maar niet naar mij, ik ben niet de moeite waard.

'Tragisch. Liefdevol je plicht doen voor je wederhelft en dan...' Waarom zeg ik wederhelft, wat is dat voor een belachelijke woordkeus? 'Ik bedoel, eerst nog even een prijs winnen voor je... je berijder en dan sterven. Wat een klasse. Hoe heette dat beest?'

In de achteruitkijkspiegel zie ik hoe ze met haar mond trekt, alsof ik haar pijn heb gedaan. Heeft ze soms een paardengebit? Nee, dat zijn David Bowie-tanden, akelig recht.

'Het dier, een paard is een dier.' IJzig is de stem inmiddels. 'Hij heette Hickstead, een vijftienjarige hengst. Werd in 2008 olympisch kampioen met de Canadese springruiter Eric Lamaze. Won nog talloos veel andere prijzen, waaronder de bronzen medaille op de Wereldruiterspelen in Kentucky. Het ongeval gebeurde tijdens de wereldbekerkwalificatie in Verona.'

Ze heeft gelijk. Een paard is geen beest. En het heeft geen poten maar benen. Maar toch: lijm en zeep, dat is wat er van dit nobele dier overblijft. Of ze dumpen het bij het slachthuis en verkopen het clandestien als koeienvlees. Een koe! Terwijl een paard de aristocraat onder de dieren is. Misschien moet ik weer gaan paardrijden. Opnieuw hartstocht opvatten voor een levend wezen. Eenwording dankzij volmaakte controle. Hoe zat het ook alweer? Het zwaartepunt van ruiter en paard moet zo dicht mogelijk bij elkaar liggen. Tussen keelriempje en keel dienen twee vingers te passen. De neusriem behoort vier vingers boven het neusgat te zitten. De singel ligt een handbreedte achter de elleboog van het paard. Bij een veelzijdigheidszadel zijn de zweetbladen meer naar voren uitgebouwd en de wrongen zijn dikker waardoor de knie vaster ligt. Waar komt dit ineens allemaal vandaan? Is er soms een eeuwenoude crypte bloot komen te liggen in mijn hoofd nu de hele boel daar aan het schuiven is geraakt?

Ze is weer aan het sms'en. Of twitteren, of hoe die waanzin ook moge heten. Facebook, Twitter, Outlook Express, MSN, iPhone, LinkedIn – vanaf een bepaald moment zat dat allemaal tussen ons in. Ineens gebeurde zoveel buiten mijn medeweten, buiten mijn bereik. Hoe anders was dat vroeger, tijdens onze eerste jaren. Als een picknickdoek spreidde ze zich voor mij uit en ik vond van alles om te drinken en te eten.

De ruitersport als redmiddel. Een waterdicht alibi hebben om op je bek te gaan.

Ver is het niet meer. De ambassadebuurt. Al die herenhuizen hier zitten onder de graffiti. Als in deze stad de gebouwen niet worden afgebroken, dan worden ze wel ondergeklad. Door verfvandalen. Door reddeloos gefrustreerde knapen die hun handtekening willen zetten op alles wat allure heeft. Verachtelijke sublimatie. Het liefst zouden ze een bloedmooi meisje willen onderspuiten.

Kom, kom, een beetje dimmen, meneer. Gaan we soms de boze burger uithangen? De cultuurpessimist? Alsof je niks beters te doen hebt. Alsof je zelf niet je hele leven aan gort hebt gesublimeerd.

Nu zie ik het, ze heeft een paardenschedel. Onmiskenbaar. Wellicht pas gekregen door tienduizend keer op een paard te hebben gezeten. Een kwestie van symbiose. Maar als het zo werkt, dan... Waarom heb ik het dan niet zien aankomen? Met de zekerheid van een gokverslaafde aan de roulettafel heb ik haar jarenlang omhelsd. Mij kon niks gebeuren omdat ik een stompzinnige honger naar een goede afloop had. Immuun dus voor het gezonde verstand.

'Kut! Kut!' Opeens barst haar stem van het gevoel. In die compacte, gesloten lettergrepen siddert het van het leven. Kennelijk heeft ze een naar bericht gekregen. Een of ander gif dat uit dat zwarte lokdoosje is gelekt.

Ik rij gewoon door. Het is niets, er is niets. Net zo lang rijden tot je het nulpunt bereikt hebt en onbereikbaar bent. Net zo lang doorrijden tot je ver heen bent en nergens nog een touw aan kunt vastknopen.

'Het gaat niet door! Wat moet ik nu? Wat moet ik doen, het gaat niet door!' Haar stem is alle controle kwijt. Niets dan strafpunten voor deze belabberde dressuur.

Dit kan niet langer genegeerd worden. Gewoon doorrijden maar wel even stilstaan bij de wensen van de klant. 'Kalmte kan u redden, mevrouw. Wat is het dat niet doorgaat?'

'De les. De springles. Die gaat niet door. Omdat er een virus is, zou zijn. Het rhinovirus. Er is net een paard overleden. En ze zeiden nog dat het allemaal onzin was, dat virus. Ophef om niets, dat zeiden ze. Dat het elk jaar voorkomt en dat je daarvoor de paardensport heus niet hoeft stil te leggen. Ik heb afgelopen weekend nog gewoon aan een wedstrijd meegedaan. De Hippische Sportfederatie had de verenigingen aangeraden alle wedstrijden af te gelasten, maar bijna iedereen vond dat onzin. En nu dit. Straks heeft Amma het ook. Wat moet ik dan?'

Met verve gutsen de woorden uit haar mond. Een paard is dood en ze komt tot leven. Lijm en zeep. De dood die zowel vastmaakt als losweekt. Verbindt en oplost. Ik moet ingrijpen, uitgerekend ik moet die vrouw weer op het juiste spoor krijgen.

'Wilt u toch een kijkje gaan nemen op de manege of heeft u liever dat ik u terug naar huis rijd?'

Ik ben een toonbeeld van kalmte. Ik ben onwankelbaar. Een rots in de branding. Op mij kun je bouwen. Ik lach me kapot.

Ze weet het niet. De paardensport is stilgelegd. Wat moet ze nu? Op bezoek gaan bij de dood, of thuis met het rijzweepje haar dijen rood ranselen bij wijze van boetedoening?

We passeren een touringcar. Dagjesmensen achter de ramen. Met oude handen zwaaien ze. Op weg naar een of ander evenement, kan niet missen. De laatste jaren barst het van de touringcars in de stad. De mensen weten van gekkigheid niet meer wat ze moeten doen. Vervelen zich te pletter.

Ik accelereer en maak dan een U-bocht, het horloge op mijn pols flakkert even. Naar huis met dat mens. Zolang je dat nog kunt, is er hoop. Zolang je nog toegang hebt tot je eigen woning, daar naar binnen kunt zonder een gescheurde aorta op te lopen zoals dat paard, de hengst Hickstead, na alle hindernissen te hebben getrotseerd viel het om, einde oefening, lijm en zeep is wat er overblijft van alle glorie – zolang dat nog niet gebeurt, is het einde nog niet zoek. Ik kan het weten. Ik zal ze niet meer terugzien, mijn boeken, mijn onderbroeken, de loden jas. Vijftien jaar oud, die jas – even oud als dat omgevallen paard. Meegenomen van het vasteland, van waar ik vandaan kom. En waar ik evenmin heen kan. De loden jas hangt aan een spijker naast de spiegel, hangt te wachten op mijn schouders, op de armen die haar tegen de matras drukten, ze was vierentwintig toen en ze was dronken, ze beet me in mijn pols en ik lachte en ik spoot alles wat ik had, alles wat ik bezat, in haar.

De vrouw op de achterbank zwijgt. Ze heeft haar lot in mijn handen gelegd. Het omgekeerde zou mij liever zijn. Wat zijn de symptomen van dat rhinovirus? Geelbruin schuim op de mond, verlammingsverschijnselen? De meeste virussen moet je gewoon laten uitwoeden. Dan komt het wel weer goed. Maar soms is er meer aan de hand. Soms gaat het helemaal mis.

Het ruikt er naar creosoot. Naar desinfectans ook. De stallen verzegeld als sarcofagen. De paarden strikt geïsoleerd. Nu en dan planken die trillen, opbollen, opengespleten dreigen te worden. IJzer op hout.

Eén staldeur is open: het met stront doorklonterde stro weggeschraapt, vloer en wanden glanzend van perazijnzuur.

In de tuigkamer hangen hoofdstellen met glimmende bitten, haastig gepoetst, deels omprakt door gestold speeksel: mosterdkleurig of snotgroen. In de gangen zwirrelen maartse vliegen, vroeg erbij om de poep en de dood te sonderen. Plichtsgetrouw volgen ze de gehandschoende, in witte jas gestoken man met de kruiwagen. In de kruiwagen: de dode vrucht van een merrie, dubbel verpakt in lekvrij materiaal.

De binnenbak van de manege toont pas gesproeid zand – kratertjes en dolines in een zwarte vlakte. Alsof graafwespen een ondergrondse stad hebben aangelegd. Voetafdrukken ook, een steeds radelozer spoor, alsof iemand iets kwijt was, voorovergebogen zocht, almaar wilder zocht, almaar dieper wegzinkend. De houten omheining geschramd door stijgbeugels en wieltjessporen, de erop geverfde letters amper nog leesbaar. Boven de ingang van de binnenbak waakt een opgehangen buffelschedel.

Buiten piept de tredmolen, wachtend op nieuwe klanten. Vierenhalve kilometer verderop gulpt een gestalte uit taxi 3399. Glanzende laarzen ploffen in een plas regenwater. De roomkleurige rijbroek raakt bespat. De vrouw vloekt en heft het zweepje dat ze als een tennisracket in haar hand houdt. De karwats zoeft richting het koetswerk van de taxi, maar vlak voordat de kofferbak een schram oploopt, schiet de wagen vooruit. Ten slotte smoort de reep leer in de stof van de rijbroek, aan de binnenzijde van het bovenbeen. De taxichauffeur is zich van niets bewust.

11:24 UUR

Zo ben ik weer terug waar ik vandaan kwam. En nu moet ik van de centrale ook nog eens terug naar het hotel waar ik vandaag mijn eerste klant heb opgepikt. Dit schiet allemaal niet op.

De vrouw met de paardenschedel is verdwenen, haar dag is naar de haaien. Maar morgen zijn er weer nieuwe kansen, nieuwe prijzen.

Mijn taxi glanst als de zwetende huid van een afgejakkerd renpaard. Een renpaard dat tot bloedens toe is geslagen door zijn berijder – vergeefs, want het is als laatste geëindigd. Als ik die amazone niet in mijn auto had gehad, zou ik er waarschijnlijk heel anders over denken. Dan zou dat beeld helemaal niet in mij opgekomen zijn. Dan vond ik misschien dat het koetswerk van mijn taxi er als doorweekt karton zou uitzien. En als ik Liz niet met dat verdomde telefoontje in haar hand had gezien, ik bedoel, als ik een minuut later was binnengekomen, dan was het misschien allemaal anders gelopen, dan had ik gewoon een vrouw waargenomen die braaf op haar echtgenoot wacht. Maar nu is het onherroepelijk. En onomkeerbaar. En dus is het enige wat me rest doorgaan, verder rijden, door de voorruit kijken.

Een trap op het gaspedaal en het zachte vlees van de stoel omarmt me. Ach Liz. Vooral als ik met iets bezig was, bijvoorbeeld de krant las of koffie maakte, greep ze me vast, drukte zich tegen me aan. Ze deed het er gewoon om. Ja, en dan duwde ik haar natuurlijk van me af. Omdat het even niet uitkwam. Maar het komt je nóóit goed uit, klaagde ze vervolgens. Is dat zo? Heb je haar eigenlijk ooit opgetild, rondgedraaid en erbij gejubeld? Nee. Nooit. Maar daarvoor was ze toch ook simpelweg te zwaar? Hoe weet je dat, heb je het op z'n minst geprobeerd? Nee. Dat wil zeggen: ja. Maar toen had het eigenlijk geen zin meer.

Hou nou maar je kop en doe wat er van je verwacht wordt. Volle kracht vooruit, dan kun je niet uit de bocht vliegen. De nar laten dansen. De gavotte. De gavotte op het schavot. Hou op met die rijmelarij. Je doet er beter aan je zegeningen te tellen. Zoals het feit dat je al zeker een halfuur lang niet hebt gedacht aan het gedoe van vannacht. Een prestatie van formaat.

En de sok. Daarvan was ik me ook niet bewust tijdens mijn vorige rit. Het gat daarin. Het gat dat almaar groter wordt, ik voel het nu. Straks is de hele sok weg. Opgelost. *As simple as that.* Misschien volgt de rest dan ook wel.

Ondertussen knellen mijn schoenen.

En in de broekzak klopt iets. Klopt iets niet, ik bedoel... Ik heb haar nooit goed kunnen uitleggen wat ik bedoelde. En dat kwam niet door de taal, de taal die niet de mijne is. Wat je precies voelt, dat kun je nu eenmaal niet verwoorden. Maar daar dacht Liz anders over. Ze verlangde van mij dat ik mijn gevoelens bij de naam noemde, alsof het museumstukken waren waar je een bordje bij kon hangen of zetten. Roodfigurige amfora met achtervolgingsscène, Apulië, 530 v.Chr. Huwelijkskist, Lombardije, ca. 1465. Toernooiharnas, Augsburg, ca. 1540.

Misschien moet ik die cursus Antiek en Oude Kunst weer opnemen. Wat ik niet allemaal heb opgegeven omwille van Liz. Om meer bij haar te kunnen zijn. En toch was het nooit genoeg. Gaan paardrijden en van gerenommeerde kunsthandelaren te horen krijgen hoe je moet kijken, hoe je voorwerpen moet beoordelen. Dat moet ik doen. Om echt van vals te kunnen onderscheiden. Om in staat te zijn bedrog te herkennen. De toekomst ligt aan mijn voeten. Ware het niet dat een van die voeten een sok heeft met een gat erin en...

Een scooter schiet voorbij. Ieder in zijn eigen tempo naar de grafkuil.

Ik heb geen haast, als ik maar binnen vijf minuten bij het hotel ben. Daar waar het allemaal begonnen is. Daar waar ik de gordijnen dichttrok en de roede naar beneden lazerde. Dat was lachen. Liz poedelnaakt voor het raam, gefundenes Fressen voor elke mannelijke voorbijganger. Vond ze grappig en geil. *The face in the mirror won't stop, the girl in the window won't drop.* Toen had ze nog schaamhaar. Ik rukte de sprei van het bed en sloeg die om haar heen. De hoer. Wat die gast daarstraks vertelde, van dat meisje op de volle slaapzaal dat je maakt me gek, je maakt me gek riep terwijl ze geneukt werd... Zoiets zou Liz ook geweldig hebben gevonden, ik weet het zeker, als ik zoiets bij haar had gedaan met allemaal andere mannen om ons heen. De sletten.

De gordijnen dichttrekken, daar ben ik mijn hele leven mee bezig geweest. Totdat er iets knapte. Iets brak.

Zet nou maar de radio aan voordat er ongelukken gebeuren. Een wiegeliedje graag, of een beetje bossanova. Dat je even ergens anders bent. Niet in deze ondergemorste en half afgebroken stad maar op een palmstrand met een caipirinha binnen handbereik. Kijkend naar de sublieme konten van de Cariocas. Maar de billen ogen als gelei, de juiste frequentie laat zich niet vinden. Twee zenders die met elkaar wedijveren. De krakende stem van een journaallezer die iets over een bomaanslag vertelt gemixt met het idyllische geluid van klotsende golfjes.

Voorzichtig draai ik aan de knop. Het strand maakt plaats voor een slachttoneel. Tientallen doden. Ik draai opnieuw.

Gegrom is mijn deel. Fingerspitzengefühl. Daaraan heeft het me altijd ontbroken. De dingen aanvoelen. Weten wanneer het misgaat. Bespeuren wanneer je moet handelen. Van jongs af aan voorzien van vrouwen, opgegroeid met twee zussen. En toch steeds weer de plank misgeslagen bij de andere sekse. Op welk uitgelezen moment je tranen laten rollen, wanneer de bink uithangen, met hoeveel decibellen de loftrompet laten klinken – ik weet het nog steeds niet.

Liz lacht, op haar manier. Met die karakteristieke glimlach van haar, voluit. Alsof ze wil uitdrukken: ja!!! Enigszins getemperd door het zijdeglansfotopapier.

Uit met die radio. Dat helpt allemaal niet. De vlek op mijn broek lijkt groter te zijn geworden. *There's no peace for the wicked.* Gelukkig is daar de volgende klant. Laten we hopen dat hij wat te vertellen heeft.

Een man met een reistas neemt plaats. Een tas die trouwens verdacht veel op die van de eerste klant lijkt. Of verbeeld ik het me maar? Zei Liz ook. Aanvankelijk. Dat mijn fantasie op hol sloeg. Maar voor het eerst in mijn leven voelde ik perfect aan wat er aan de hand was. Fingerspitzengefühl. Mijn vingers die brandden. Van verlangen. Van verlies.

In plaats van mijn klant door de binnenspiegel te monsteren, wat ik gewoon ben te doen, heb ik me omgedraaid. Rechtstreeks contact. Waar gaat de reis heen? Dat vraag ik hem, bijna op een jolige toon.

'Naar mijn schoonouders', antwoordt hij met omhooggekrulde lippen. Zijn ogen zijn bloeddoorlopen, maar ze glinsteren. Een kin heeft hij niet echt. Een uit grauw graniet gehouwen smoel. Zowel grofkorrelig als schubvormig. Hij heeft vast acne gehad als puber.

Nu ik weet wat voor vlees ik in de kuip heb, draai ik me weer om. Dag Liz. Dag nar. 'En waar houden uw schoonouders zich schuil?'

De kinloze noemt een adres in wijk H en zoals gewoonlijk weet ik de weg. Met mijn hippocampus is nog steeds niks mis.

Daar ga ik, daar gaan we. Over Gods ondoorgrondelijke wegen. Hoezo heeft de kinloze niet bij zijn schoonouders gepit? Misschien wonen ze te klein of hij heeft het te laat gemaakt om die oudjes met zijn dronken kop lastig te vallen. Of hij heeft een dubbele agenda, zoals... Zoals vrijwel iedereen die vooruit wil in het leven.

'Heeft u een aangenaam verblijf gehad in de stad?'

Wie vroeg dat? De nar? Of was het de man achter het stuur, de man die ver van huis is en zich ten doel heeft gesteld mensen naar hun bestemming te brengen?

'Ik heb me wel vermaakt, ja. Een beetje te veel misschien.' Zijn stem is net zo brokkelig als zijn gezicht. Een beetje te veel, ja, ja – zodat hij zich nu beroerd voelt waarschijnlijk. Met een kater bij je schoonouders verschijnen, daar de boel onderkotsen.

'U heeft een kijkje genomen in onze plaatselijke kroegen, neem ik aan?' Ik wil weten wat de kinloze heeft uitgespookt, of er bloed aan zijn handen kleeft. Hij is ernstig verzwakt na een nacht doorhalen, hij zal zich amper verweren, hij wil niets liever dan zijn zonden opbiechten.

'Dat kun je wel zeggen, ja. Een kijkje. Een blik in de afgrond, haha. Dat krijg je als je met een stel mannen op stap gaat. Dan drink je weleens een paar glaasjes van het een of ander.'

Zo is het. Omdat wij mannen niks te vertellen hebben. Dus drinken we. Drinken we onszelf total loss.

'Ik wed dat u een vrijgezellenfeestje heeft gehad.'

De kinloze zwijgt. Is hij in slaap gekukeld? In de achteruitkijkspiegel raakt zijn mond verfrommeld als een papieren zakdoekje. Wat heeft dat te beduiden? Ergernis? Wroeging?

Ik vraag het gewoon nog een keer.

'Nee, nee', zegt de kinloze. 'Geen vrijgezellentoestand, we zijn allemaal al getrouwd. Brave vaders. Het was meer een sportieve aangelegenheid. Nou ja, in het begin dan. Eerst lekker draven en daarna zuipen. U kent dat wel.'

'Ik weet wat u bedoelt, ja.' Ik weet niet wat hij bedoelt. Mannen onder elkaar, daar komt nooit iets goeds van, dat moet je mijden als de pest. Ze hebben me weleens gevraagd voor het waterpoloteam van Tatax. Als het nou nog biljarten of schaken was geweest... Maar nee, op dit eiland liggen ze voortdurend in het water, iets leukers bestaat er niet voor hen. Liz vond dat ik het moest doen, ook al kan ik mezelf amper drijvende houden. Ze wilde dat ik ophield met de cursus Antiek en Oude Kunst zodat we samen meer tijd konden doorbrengen, maar ze spoorde me aan om vriendschap te sluiten met imbeciele badmutsmannen. Misschien vond ze het opwindend te zien hoe ik telkens onder water werd geduwd. Hoe ik naar adem hapte. Een drenkeling werd.

Mijn handen liggen nog steeds op het stuur. Het horloge zit nog altijd om mijn pols. De wijzers marcheren dapper voorwaarts. Ik rijd het Sterrenplein op. Een halve cirkel rond het Monument voor de Gevallen Strijders, dan de Onafhankelijkheidslaan in.

'Het liep nogal uit de hand.' De kinloze heeft zijn slappe lijf naar voren geplooid, met zijn linkerhand zoekt hij houvast bij de hoofdsteun naast mij. De trouwring glinstert bedeesd.

Kom maar op, mannetje, met je belijdenis. Stort mijn taxi maar vol met je stront. Je zwarte gal. Zorg dat ik verzuip en nooit meer bovenkom. Dat vindt mijn vrouw geil.

'O ja?'

'Ja, ik had het niet moeten doen. Tenminste... ik had niet verwacht dat het zo zou lopen. Dat de mannen het zo zouden opnemen. Het was als geintje bedoeld, meer niet. Wat mij betreft hadden zij er ook van kunnen profiteren. Maar opeens scheten ze allemaal in hun broek. En toen was ik de kop-van-jut. Tenminste... misschien niet exipliet, ze hielden allemaal hun bek, maar dat was het 'm nou juist...'

Die vent praat in zijn eigen taal en toch kan een vreemdeling als ik zijn fouten verbeteren. Desondanks achtte men mij niet voldoende gekwalificeerd om hier als leraar aan de slag te kunnen. Wees eens wat expliciter, meneertje Exipliet, ik wil het uit je mond horen komen, woord voor woord. Wat was dat geintje dat je hebt uitgehaald en waardoor nu iedereen over de zeik is?

'Toen ik wakker werd, was de helft al verdwenen', vervolgt de kinloze. 'En de andere mannen zaten in de ontbijtzaal en keken me niet aan. Alsof ik godverdomme een moord had gepleegd of zo! Niks dan kinnesinne, ik zeg het u. Ze hadden er natuurlijk zelf ook bovenop willen kruipen. Nou, van mij had het gemogen. Maar ze waren gewoon te schijterig om iets te doen, om zelfs maar hun bed uit te komen.'

Even vonkt de trouwring van de kinloze, allicht vanwege de flakkerende neonreclame aan de gevel van een sportschoenenwinkel. Liz wilde geen trouwringen, vond ze burgerlijk, een absurde conventie. Voor de trouwdag hadden we in een feestartikelenwinkel twee plastic prullen gekocht. Liz een Mickey Mouse-ring, ik een doodskopring. Zij een vinger met twee zwarte oortjes, ik een vinger met twee holle oogjes.

'Wat vindt u ervan? Heb ik me misdragen? Had ik het niet moeten doen?' Ik voel zijn adem in mijn nek. De adem van een hengst die net zijn kolossale pik heeft geleegd in een fokmerrie. De adem van Hickstead vlak voordat hij omviel.

'Misschien moet u eerst eens... eens expliciteren wat er precies is gebeurd. Ik heb nog niet zo'n duidelijk beeld van de situatie.' Terwijl ik het zeg, begint het me te dagen en verandert de trouwring van de kinloze in een grijnzende doodskop. Hoe kon ik dat niet meteen doorhebben? Hoeveel planken zitten er wel niet rond mijn kop getimmerd? Of was ik er nog niet klaar voor, zoals ze in de wereld van de psychohygiëne plegen te zeggen?

De klauw van de kinloze laat de hoofdsteun los. Als een plots leeglopende feestballon blubbert hij naar achteren, blijft kleven aan het kunstleer van de achterbank.

'Wat? Ja, natuurlijk, u heeft gelijk. Ik ben nog niet helemaal... ik heb ze nog niet helemaal... op een rijtje, hoe zeg je dat. Te veel gezopen, te weinig geslapen.'

Nu kom maar met je verhaal, ook al weet ik al wat je gaat zeggen.

''s Middags was er nog niks aan de hand. Ouwe-jongens-krentenbrood. Ik liet ze de stad zien, de Watertoren en de Oude Brug en zo. Ik ben namelijk van hier. Mijn vrouw trouwens ook. Die had ik van tevoren samen met de kinderen nog afgezet bij haar ouders. Ja, verdomme, zo zit het. Ik krijg haar dadelijk te zien bij mijn schoonouders, ik hoop dat ze het niet ruikt. Die wijven hebben gewoon een of andere radar voor dat soort dingen. Nou, en daarna zijn we gaan voetballen, tegen mijn oude team. Had ik geregeld. Ik heb godverdomme alles geregeld voor ze, dat ondankbare tuig. Het was echt een klotepot, een hoop grof geschop en geen een fatsoenlijke combinatie. Ik heb een helftje bij mijn ouwe team meegedaan en na de thee heb ik me uitgesloofd voor de andere mannen.'

'En wie heeft er gewonnen?' vraag ik snel.

'Wij. Ik bedoel mijn nieuwe team. In de laatste minuut word ik onderuit geschoffeld door de voorstopper, een goede vriend van me. Penalty. Ik heb 'm er zelf in geschoten. Daar had ik echt geen problemen mee; nostalgisch gezeik is niks voor mij. Ik wist nog dat links de zwakke hoek van de keeper was. En ja hoor...'

Ja hoor. De kinloze is de elftalleider is de aanvoerder is de echtbreker. De man die volgens mijn eerste klant opzettelijk een eigen doelpunt maakte om zijn oude team niet te laten verliezen. Een loser die zichzelf het winnende doelpunt laat maken. Een triest mannetje dat zijn gezichtsverlies op het veld meende te moeten compenseren door een onbekende vrouw te neuken op de slaapzaal waar zijn maten lagen.

'Nou, en daarna zijn we natuurlijk gaan feesten en toen...'

Hij is niet te stuiten, ik zou een voorbeeld aan hem kunnen nemen. Blindelings voorwaarts, schaamteloos om zich heen hakkend. De kinloze. Met zijn smoel van grauw graniet, waar elke beschuldiging op afschampt. Met de trouwring aan zijn ontrouwe klauw. Waarmee hij in al haar openingen heeft gepord, de ploert. Van de ene op de andere dag ging ze over in andere handen. Ineens waren mijn handen alleen nog maar goed om aan een stuurwiel te draaien. Zonder dat ik het wist. Een trouwring die in de schede van een onbekende vrouw verdwijnt. Van een vrouw die met iemand anders is getrouwd maar wier status niet wordt verraden door een symbolisch sieraad. De ring die tegen het klitje tikt. Door de wettige echtgenote aan de vinger geschoven ten teken van liefde en trouw, nu in het vaginale vocht van een andere vrouw de belofte brekend. Een goudklompje in de modder.

We zitten vast achter een vuilniswagen. De weg is te smal om erlangs te kunnen. Zwarte zakken worden opgepakt, in de kiepbak gesmeten. De stank dringt door de carrosserie heen. De kinloze heeft niks door, hij ruikt slechts de vrouw die hij vannacht heeft bezeten. En hij praat. Om zich te rechtvaardigen? Om zichzelf op te blazen, zo groot te worden dat hij ontploft? Dat hij dat meisje nog van vroeger kende, van school. Dat ze toen al eens gezoend hadden, daar deed ze niet te moeilijk over. Echt zo'n meisje dat er wel pap van lustte. Dat ze nog altijd botergeil was, na al die jaren. Haar man was een weekendje weg, op stap met vrienden, dus dan wist je het wel. Je moest pakken wat je pakken kon in het leven voordat Magere Hein op de stoep stond. Dat de jongens het verder wel zelf konden redden, die hadden hem heus niet nodig. Dus was hij met die vrouw naar een andere kroeg gegaan, waar ze van die loungebanken hadden, je weet wel, om te chillen. Dat het niet echt de bedoeling was geweest om haar uiteindelijk mee te nemen naar het hotel maar dat ze hem zo gigantisch had zitten opgeilen op die bank. Bovendien konden ze niet naar haar huis toe want haar dochter sliep daar.

De mannen in hun oranje overalls omarmen voortdurend nieuwe vuilniszakken. Alsof ze het vuilnis een knuffel geven voordat het door die ijzeren muil uiteengereten wordt.

Als een vrouw haar trouwring verliest, zal ze ook haar man verliezen – aldus het volksgeloof. Aangezien Liz geen ring bezat, kon ze mij dus nooit verliezen. Tot in lengte van jaren. En kon ze dus doen en laten wat ze wilde, zij was onaantastbaar. Onoverwinnelijk.

Met een hemelsblauwe zakdoek veeg ik het zweet van mijn voorhoofd, dezelfde zakdoek waarmee Liz ooit mijn zaad van haar buik verwijderde. Die kleverige klodders op dat saffierblauw. De kleur van de onschuld, van het gewaad dat de Heilige Maagd altijd draagt op schilderijen.

'Mijn vrouw zal wel denken, waar blijft-ie nou. Niet dat ze me mist, dat niet nee, maar als ze de kans krijgt op me te vitten, dan pakt ze die met beide handen aan, reken maar. Allejezus, wat een stank!'

De kinloze is terug in het heden, weggegrist van de gerieflijke loungebank en neergepleurd op de plakkerige achterbank van een taxi die in een afvalwolk rijdt. Op weg naar de confrontatie die ik al heb gehad. Hij zou zich alle leugens en uitvluchten kunnen besparen als ik het dashboardkastje openmaak, de Smith & Wesson .44 Magnum eruit haal en een gat schiet in die granietkop van 'm. Kwartssplinters sneeuwen op mij en de echtbreker neer. Brak bloed sijpelt langs de ramen. De taxi verandert in een mobiel peeskamertje, verleidelijk vermiljoen.

De vuilniswagen slaat linksaf. Vaarwel broeders, hier scheiden onze wegen.

Ik houd mijn handen op het stuur, mijn blik op de weg. Het dashboardkastje blijft gesloten. Misschien ligt de grootste hartstocht wel in het onderdrukken van de hartstocht. Niet meteen je kruit verschieten. Niet roepen ik hou van je, ik hou zoveel van je. Het orgasme uitstellen. Tot in lengte van jaren. Liz hield die zinderende beheersing voor desinteresse. Voor haar betekende liefde zelfs mijn puisten uitknijpen, een verdwaalde haar op mijn schouder uittrekken.

Nu nog over de brug en dan zijn we in wijk H. Het stalen gebinte arceert mijn blikveld. In mootjes gehakte vrachtboten op de rivier.

'Ik had natuurlijk wel wat gedronken. Een biertje of tien, vijftien.' De kinloze wil zich vast en zeker nog even laten gelden voordat zijn wettige echtgenote hem de les leest. 'Maar ik wist nog wat ik deed en mijn pik had er ook geen last van, haha. Ik denk ik neem haar gewoon mee naar het hotel, kan mij het verrotten, en misschien willen een paar van de jongens ook nog wel een wip maken. Komen we daar aan, liggen ze al allemaal te pitten. Nou ja, zogenaamd natuurlijk, want mijn neukertje begon ontzettend te giechelen toen we de slaapzaal binnengingen.'

Laat mij dit niet horen. Laat mij vervluchtigen. Laat mij ingesponnen worden door gegons en vergetelheid. Bid voor mijn zielenrust. Open de raampjes opdat zijn verhaal verzwolgen wordt door het geraas van het verkeer. Hoe hij niet eens de moeite heeft genomen zich uit te kleden. Hoe hij zijn klauw in haar broekje propte en zijn tong in haar mond. Hoe het bed kraakte en piepte. Hoe zij kermde, fluisterde, lachte, gilde. Hoe hij een keiharde boer moest laten toen hij klaarkwam. Ik wil het allemaal niet weten. Als ik eraan denk, voel ik het gat in mijn sok groeien. Bijna moet ik braken.

Ik hoor hem niet meer. Al een tijdje zelfs. Is mijn gebed verhoord, de verdwijntruc geslaagd? Nee, hij houdt uit zichzelf al zijn mond. Nu we zo dicht bij het huis van zijn schoonouders zijn, vindt hij het misschien ongepast nog langer op te scheppen over zijn buitenechtelijke avontuurtje. Zelfs hij, ja. Zelfs de kinloze blijkt nog enig fatsoen in zijn donder te hebben. Of is het bijgeloof? Of heeft hij gewoon een black-out?

Een zwarte Pontiac met getinte ruiten glijdt langszij. Heeft wat van een begrafeniswagen, maar vermoedelijk zit er een pooier achter het stuur. Ronkend accelereert hij en verdwijnt om de hoek, omsluierd door opspattend regenwater. Er liggen hier veel meer plassen op het wegdek dan elders in de stad. Wijk H heeft een gebrekkige riolering. Verstopte afvoerputjes en keurige voortuintjes. Arrangementen van buxushagen, zwerfkeien, grindpaadjes, fonteintjes en sculptuurtjes. Een uitgekiende combinatie van dode en levende materialen. Rigoureus geschoren en gesnoeid, geveegd en aangeharkt. Wat er achter al die vitrage gebeurt, is niet moeilijk te raden: tierende echtgenoten achter een hekwerk van bierblikjes, zwangere tienermeisjes met een sigaret tussen de lippen, de moeder des huizes met een blauw oog, zonen die op internet naar *date rape*-filmpjes kijken.

Nog twee straten en de kinloze is waar hij zijn moet. Waar zijn vrouw op hem wacht, achterdochtig en arglistig, klaar om hem af te troeven, hunkerend naar beschuldigingen, ruzie. Maar misschien kan het haar ook al lang niks meer schelen wat haar vent uitspookt. Ja, misschien hebben ze afgesproken dat manlief één keer in de maand de bloemetjes buiten mag zetten, op voorwaarde dat zij dan op zijn kosten naar de beautyfarm mag. Best mogelijk dat Liz zo'n deal ook zou hebben geaccepteerd – haar schoonheid was haar veel waard. Maar de bloemetjes buiten zetten, daarvoor had ik geen tijd, geen geestdrift. Het is ook nooit in me opgekomen met een andere vrouw wat te doen. Ze heeft weleens voorgesteld naar zo'n club te gaan waar lichamen worden gewisseld als vreemde valuta. Dat wilde ik niet. Ik wilde niet binnendringen in onbekend vlees terwijl naast me allerlei harige handen mijn vrouw zaten te keuren alsof ze een gerijpte parmaham was. Ze vond me bekrompen, ouderwets. Dat had me moeten alarmeren maar ik dacht dat het een gril van haar was.

In de straat van de schoonouders hebben de meeste panden rolluiken. Ik informeer naar het huisnummer. Hij mompelt iets onverstaanbaars, ik moet het opnieuw vragen.

Ik stop midden op de weg. Het is een lucratieve rit geweest. Ik draai me om en in het smoel van de kinloze verschijnt een grijns. Ik neem aan dat hij de kilte van mijn blik opmerkt. Niettemin geeft hij me een ruime fooi.

Hij strompelt meer dan dat hij loopt. Heeft zich helemaal beurs geneukt vannacht. Ik hoop voor hem dat hij zich grondig heeft gedoucht vanochtend. Of verlangt hij er juist naar betrapt te worden omdat hij op een breuk aanstuurt? Omdat hij genoeg heeft van zijn vrouw, van zijn kinderen, zijn schoonouders, de maaltijden die hij krijgt voorgezet, de tv-programma's die zijn gezin wil kijken, de ruzies daarover, het eeuwige gezeik, zijn vrouw die niet wil omdat ze moe is, niet kan omdat ze menstrueert of net een gezichtsmasker heeft aangebracht, de ruzies daarover, enzovoorts.

Hij belt aan, de kinloze, de sleutelloze. Een vrouw met een toren van blond haar doet open. Is dat zijn echtgenote of zijn schoonmoeder? Ik kan het niet goed zien door het met regen bespatte zijraampje.

De deur valt dicht.

Ik zet de mobilofoon aan. Terwijl het geruis de taxi vult, zie ik links van me een deur opengaan. Opnieuw een vrouw met een blond torenkapsel, alsof de vrouw van daarnet hiernaartoe is gegoocheld. Koortsachtig kijkt ze in het rond. Haar blik blijft ergens in het voortuintje van haar huis hangen. Ze begint te roepen. Nu zie ik het. Midden in een miniatuurdoolhof van lage beukenhaagjes staat een hondje tegen een tuinkabouter te wateren. De vergeefs roepende vrouw beleeft een drama: haar twee oogappels blijken elkaar opeens te haten. Ieder zijn eigen tragedie.

Het kamermeisje is nog niet langs geweest. De raamloze slaapzaal ligt er haveloos bij, de nachtmerries zijn nog niet verdreven, evenmin als de geur van gemorst bier en sperma, van kwistig uitgestort zweet, van ranzige asem.

Het behang heeft zijn beste tijd gehad: nicotinekleurig, op ettelijke plaatsen gerimpeld als uitgewoond mensenvel, het ooit kreeftenrode bloemenpatroon is na zoveel jaren blootstelling aan zure slaapadem en tl-licht zalmroze geworden. Minstens twee plafondplaten van zachtboard hebben vochtvlekken. Soortgelijke vlekken kunnen ook worden aangetroffen op het hoeslaken van het verst van de deur verwijderde ledikant. Dit is ook het bed dat de meest doorwoelde indruk maakt; de overige elf bedden bieden weliswaar ook een onttakeld aanzien, maar het kussen ligt daar nog op de juiste plek, de deken is niet geheel losgetrapt. Het zwaarst beproefde slaapmeubel bevat tevens de meeste menselijke restanten: afgezien van de genoemde spermasporen gaat het hierbij om schaamhaar (zowel zwart als blond), huidschilfers en pus van al dan niet opzettelijk uitgeknepen mee-eters of puisten. Bij het afhalen van het beddengoed zal nog een roze Bambi-haarspeldje tevoorschijn komen.

De vloerbedekking, die door zijn donkerpaarse kleur een bewogen geschiedenis van verminkingen en ongelukken verhult, heeft afgelopen nacht – zoals gewoonlijk stilzwijgend – nieuwe vernederingen ondergaan. Even gedwee als beschaamd heeft ze weglekkend vocht geabsorbeerd uit omgevallen bierblikjes, uit weggeworpen papieren zakdoekjes en een verdwaald condoom. Onweerlegbaar bewijs van deze vergrijpen ontbreekt, aangezien alle schuldige voorwerpen zich inmiddels keurig in de plastic prullenbak bevinden die onder de wasbak staat. De wasbak laten we liever onbesproken.

Geen van de gasten heeft iets vergeten – alle persoonlijke bezittingen zijn meegenomen. Weldra zullen alle sporen gewist zijn.

Dat het kamermeisje nog niet is toegekomen aan de slaap-
zaal, heeft te maken met de ravage in kamer 86, die op de-
zelfde gang uitkomt. Hier heeft een volgens de nachtportier
in alle vroegte vertrokken hotelgast verscheidene verwoestin-
gen aangericht. De kamer ziet eruit alsof een door rabiës be-
smette vleermuis er opgesloten heeft gezeten. De gordijnroede
is uit een van de oplegsteunen gerukt en hangt als een ge-
knakte tak voor het venster, een verwrongen bundel oranje
gordijnstof torsend. De stoffen kap van de plafondlamp ligt
verkreukeld in een hoek. In een andere hoek van de kamer
ligt als een dode kraai een in zwart leer gebonden bijbel. En-
kele pagina's, sommige nog intact maar andere doormidden
gescheurd, worden later teruggevonden op de bodem van de
lichtschacht waar het raam op uitkijkt.

Ook de spiegel boven de wastafel is beschadigd: ze vertoont
een vlechtwerk van barsten, vermoedelijk veroorzaakt door
de kapotte drinkbeker die in de wasbak ligt. Bloedspatten
treft het kamermeisje echter niet aan. Wel ander lichaams-
sap: gestold kwijl op de kussensloop, melkzwamkleurig en in
de vorm van de staat Kentucky.

Het van jachttaferelen voorziene behang is evenmin on-
gedeerd gebleven. Met een zwarte viltstift zijn diverse correc-
ties aangebracht: de gestrekte hals en het hoofd van een paard
dat over een sloot springt, zijn getransformeerd tot een enor-
me fallus; de snuit van de opgejaagde vos heeft de aanblik van
een vrouwelijk geslachtsdeel gekregen, wat ook geldt voor de
oortjes van het dier; alle geweren die in de richting van de in
het nauw gedreven prooi wijzen, zijn omgevormd tot een op-
gericht mannelijk geslachtsorgaan. Een van de in bloedrode
jasjes gestoken ruiters heeft een enorme tekstballon gekregen
waarin staat geschreven TE ODIO CABRONA, *wat het kamer-*
meisje voor de hoteleigenaar als 'ik haat je, slet' vertaalt.

11:54 UUR

De gevel van het Nationale Theater wordt aan het oog ont-trokken door een web van stalen buizen, koppelingen, klemmen en planken. Is al een paar jaar zo en nog altijd heeft het gemeentebestuur niet besloten of ze het gebouw willen restaureren of afbreken. En ondertussen staat het te verkrotten. Eerst zit het in mijn voorruit, dan in mijn zijraampje en ten slotte wordt het een maquette in mijn achteruitkijkspiegel. Een maquette die in slow motion verpulvert.

De centrale heeft me verzocht een klant op te pikken bij boekhandel Samsa. Zolang ik opdrachten krijg, ben ik veilig. Zolang mijn leven bestaat uit stoplichten, haaientanden, richtingborden, invoegstroken en voorrangswegen, kan ik ademen. Anderzijds: zoveel plekken in deze stad zijn besmet met Liz. Ook boekhandel Samsa. Daar gingen we elke zaterdag heen: Liz voor de buitenlandse kranten, ik voor literatuur en kunst. Zij was meestal snel klaar, ik had mijn zoektocht nog lang niet voltooid. Dan verdween ze naar het aangrenzende winkelpand om jurkjes te passen. Terwijl ik beginzinnen las of reproducties van schilderijen bekeek, bestudeerde zij zichzelf in de spiegel. Zoals ik vaak een kunstboek kocht om het daarna zelden nog open te slaan, zo schafte zij meestal kleren aan die nooit meer de kast uit kwamen.

Daar gaan we weer, ik en de 3399. Op weg naar de volgende mens die weet waar hij heen moet. Waar hij terechtkomt.

Een luchthaven om in de wolken te verdwijnen. Een bordeel om in een orgasme te verdwijnen. Een hotel om in een koud, vreemd bed te gaan liggen. Een bioscoop om een paar uur lang onder te duiken in een andere werkelijkheid, in een verhaal dat je vastpakt of tegen de grond slaat.

Deze dag is grijs begonnen en zal grijs eindigen. In meteorologische zin welteverstaan. Wat een weertje weer, meneer. Moet je zien, ondanks al die grijzigheid heeft iemand besloten vandaag een ballonvaart te maken. Op zoek naar romantiek en avontuur. Rood met gele stippen is de ballon. Mogelijk hebben ze zich vergist, dachten ze dat het een stralende dag zou worden. Nu zitten ze daarboven, doorregend, verwaaid en met een beroerd uitzicht.

Hierbeneden lopen meisjes met mobieltjes over de stoepen, zitten mannen alleen in auto's. De meisjes praten tegen elkaar over de mannen in de auto's. De mannen in de auto's luisteren naar mannenmuziek. Soms springt een verkeerslicht op rood en moeten de mannen stoppen voor de meisjes. De meisjes steken over, de mannen kijken. Hun blikken kruisen elkaar niet.

Het is een slechte dag voor de luchtballonvaartaanbieders. Die rode ballon heeft daar helemaal niks te zoeken. Net zomin als ik hier nog iets te zoeken heb. Ik ben zo'n hemellichaam dat men in het donker nog wel een beetje ziet blinken maar al lang niet meer bestaat. Sinds afgelopen nacht ben ik een levende dode. Een vampier met dermate zwak tandvlees dat zijn tanden zullen uitvallen als hij ze ergens in zet.

Eens kijken hoe ik eruitzie: als een dode maar voorzichtig glimmende ster, of als een levende maar doodsbleke vampier. Shit, hoe lang zit dat ding er al? Hoe lang heb ik niet meer naar mezelf gekeken, alleen maar andere mensen beloerd in de binnenspiegel? Een gezwel. Beter nog: een samenklontering van gezwellen. Een vervormde mond. Een mond die geen mond meer wil zijn, er gewoon genoeg van heeft. Die zichzelf heeft uitgekotst. En dan krijg je dit dus: een koortslip.

Ja, ja, ik ga al, meneer de toeteraar. Hoezo die haast, heeft je vrouw soms gebeld dat de vliezen zijn gebroken? En hoe weet je zo zeker dat het kind van jou is? Misschien kun je beter op de rem trappen en nog eens goed nadenken, rekenen of het wel klopt.

De luchtballon is verdwenen, opgelost in grijzigheid. Een bloeddruppel die in het tapijt is getrokken. Wat je niet ziet, bestaat niet.

De Wetstraat uit, dan links het 14 Juniplein op en verder in noordoostelijke richting. Mij hoeven ze niks te vertellen, ik ken deze stad beter dan mijn eigen hoofd.

Op het plein gebeurt van alles. Een veelvoud van vluchtpunten. Perspectivische vertekeningen. In één oogopslag zie ik een kinderwagen die wordt voortgeduwd en een sloperskogel die de pui van een winkelpand verbrijzelt. Voor me een cementwagen met een draaiende betonmolen. Als die zijn lading verliest, wordt mijn voorruit een muur. Dan ram ik de kinderwagen – de baby vliegt door de lucht, komt in de baan van de zwenkende sloperskogel terecht, wordt geplet tussen ijzer en baksteen. Ik word de taxi uit gesleurd, men stort zich op me, paraplu's priemen in mijn buik, in mijn ballen, kunstnagels scheuren mijn overhemd open, trekken bloedrode voren in mijn borst. Men doorzoekt mijn broekzakken, opent het dashboardkastje en...

De cementwagen slaat een zijweg in. Een levendige verbeelding heeft meneer. Maar niet levendig genoeg om mezelf ervan te overtuigen dat wat mij gisteravond, nee vannacht is overkomen, zich alleen in mijn fantasie heeft voltrokken. Misschien dat aan het eind van de dag, na een x-aantal klanten en kilometers, die hele teringzooi de substantie van een hersenspinsel heeft gekregen. Dat je het dan ziet als vanuit zo'n luchtballon: gereduceerd tot een onschuldig formaat.

Cementwagen, luchtballon, kinderwagen, sloperskogel: allemaal foetsie nu. Zo makkelijk gaat dat nou. Alsof ze er nooit zijn geweest. Over twee minuten ben ik bij boekhandel Samsa en begint een nieuw verhaal.

Ik schakel terug, rem behoedzaam. Tussen twee geparkeerde auto's staat een man in een spijkerbroek en een colbertje, plastic tas van Samsa in zijn hand. Dat moet hem zijn.

Het portier van mijn wagen opent zich als de kaft van een boek. Een lezer komt binnen. Hij gaat naast me zitten. Passagiers die menen voorin plaats te moeten nemen, doen dat vanuit de misplaatste overtuiging dat de chauffeur dit prettiger vindt, dat er dan geen sprake is van een hiërarchische verhouding. Ze zijn net als mannen die zich tijdens het bezoek aan een hoer onderdanig gedragen. Ze willen niet all the way gaan, alleen maar haar schoenen likken of een beetje knuffelen. En na gedane zaken nemen ze afscheid met een vaderlijk advies.

Hij heeft een stoppelbaard en hij wil naar station Oost. Er zit een lieveheersbeestje op zijn revers.

'Heeft u veel boeken gekocht?' vraag ik hem terwijl ik de wagen keer.

'Gekocht, zei u?'

'Ja, dat zei ik.'

'Nee. Niks gekocht. Wel vérkocht. Alhoewel... het viel een beetje tegen.'

'Bent u dan boekverkoper?' Nee, dat is hij niet. Ik heb hem nog nooit gezien bij Samsa.

'O nee. Ik ben geen boekverkoper, goddank niet, nee. De boekhandelaren lopen op hun laatste benen. De rek is eruit, zelfs Samsa zal het niet lang meer maken. Met mijn beroep is het trouwens niet veel beter gesteld. Ik ben schrijver. Ik kom net van een signeersessie.'

'Van een wat?' Waarom zou ik doen alsof ik op gelijke hoogte met hem verkeer, ook al zit hij naast me? Ik ben maar een dom taxichauffeurtje, niet een voormalige leraar die vanwege een vrouw zijn talenten heeft vergooid.

'Van een signeersessie. Ik was bij boekhandel Samsa om een handtekening en een opdracht in mijn nieuwe boek te zetten. Voor mensen die geïnteresseerd zijn in mijn werk.'

In mijn werk is niemand geïnteresseerd. Ik ben slechts het verlengstuk van een vervoermiddel dat mij niet toebehoort, meer niet. Ik vertegenwoordig geen gedachtegoed, geen stijl, geen stroming. Ik ben een vervangbaar radertje van de organisatie Tatax. Een vervangbaar accessoire van mijn teerbeminde echtgenote.

Terug op het 14 Juniplein. De winkelpui is nu volledig weggeslagen. Wat verkochten ze daar ooit? Ik geloof cd's en lp's. Deze tijden. Deze onterende tijden. Ook boekhandel Samsa zal binnen afzienbare tijd kennismaken met de sloperskogel, daar kun je gif op innemen. Om plaats te maken voor smartphones, mp3-spelers en sneakers. Het soort sneakers dat de schrijver draagt. Nike Air Max Light of zoiets. Hippe dingen die nogal contrasteren met de rimpels in zijn voorhoofd en het futloze vel rond zijn kaken. Aan de onderkant doet hij nog mee, van boven is hij afgeschreven.

Het lieveheersbeestje zit op de schouder van de schrijver. Zijn dekschild klapt naar twee kanten open, alsof hij aanstalten maakt weg te vliegen.

Recht voor zich uit kijkend zegt de schrijver: 'Ik ben zo blij dat u me niet vraagt waarover mijn boeken gaan.'

'Waarom? Waarover gaan ze dan?'

Hij lacht, het lieveheersbeestje trilt. 'Over schuld en boete natuurlijk, waarover anders? Er bestaat geen ergere vraag voor een schrijver dan... er is niks moeilijkers voor een schrijver dan uit te leggen waarover zijn boeken gaan. Als ze het me vragen, geef ik altijd een zo vaag mogelijk antwoord. Het raadsel moet intact blijven. Ik zeg bijvoorbeeld dat mijn boeken gaan over mannen die op weg worden gestuurd door hun baas of door een bepaalde rusteloosheid. En onderweg verdwalen ze, raken ze het spoor bijster.'

'U schrijft dus avonturenromans', opper ik zo onnozel mogelijk.

Even draait hij zijn hoofd in mijn richting, alsof hij zich ervan wil vergewissen dat mijn gezicht overeenstemt met de domheid van mijn opmerking. 'Avonturenromans... nee, zo zou ik het niet willen noemen. Eerder schelmenromans, of op z'n minst... Laat ik je een voorbeeld geven. Mijn laatste roman gaat over een pyromaan. Hij is zeventien jaar oud en hij heeft een soort openbaring gekregen. Hij ziet zichzelf als een moderne beeldenstormer en hij beschouwt het als zijn missie om de wereld te zuiveren van alle overdaad. *Less is more is less*, luidt zijn motto. Hij begint ermee de meest opzichtige gebouwen van zijn woonplaats in de as te leggen. Ter ere van de leegte, snap je?'

Hij is me gaan tutoyeren. Misschien omdat hij de indruk heeft met een kind te praten. Ik ga die ijdeltuit niet vragen hoe hij heet. Zijn kop komt me ook niet bekend voor. Ik beperk me tot een stug zwijgen – eens kijken hoe hij daarop reageert.

Het begint weer te regenen. Dikke druppels. De ruitenwissers die erachteraan gaan. Uitputtende jacht.

'De pyromaan is eigenlijk een lieve jongen', vervolgt de schrijver. Ik wist het wel, hij kan niet tegen stilte. 'Hij heeft het goed voor met de wereld, hij ziet zichzelf als een soort messias. Ook de plaatselijke bibliotheek wordt zijn doelwit omdat hij meent dat de mensen door al die woorden niet meer kunnen ademen.'

'Hij is dus hartstikke gestoord, die gast.'

'Denk je? Nee, zo zou ik het toch niet formuleren. Hij is verward, vervreemd van zijn omgeving. Als hij niet op pad is met een blik benzine, zit hij in zijn onderbroek en met oortelefoontjes tussen de kale muren van zijn kamer. De rest van het huis is het rijk van zijn moeder, volgestouwd met knuffelbeesten, heiligenbeeldjes, souvenirs en andere prullen.'

Het lieveheersbeestje is weg. Ter ere van de leegte.

'Waren er veel mensen?' vraag ik ter ere van de verwarring en de vervreemding.

'Wat? Waar?' De schrijver tast in het duister.

'Bij boekhandel Samsa. Voor u. Voor die sessie.'

De rechterhand van de schrijver verdwijnt in de zak van zijn jasje. Alsof hij daar een antwoord zoekt. En dat antwoord zou kunnen zijn: een pistool om mij voorgoed het zwijgen op te leggen; een pistool om geen vragen meer te hoeven beantwoorden.

De schrijvershand komt weer tevoorschijn, in de vorm van een vuist. Veel kan er in die vuist niet zitten. Hooguit een paperclip. Of een haarspeldje. Het haarspeldje van zijn vriendin dat hij telkens vastpakt als hij paniek voelt opkomen.

'Veel... wat is veel', zegt de schrijver eindelijk. 'Tien, twintig, ik denk dertig mensen. Zoals ik u al zei, het boekenvak ligt op zijn gat. Wie koopt er nou nog boeken tegenwoordig? Ook de boekhandelaren zelf hebben geen enkele liefde meer voor hun metier. Die man van Samsa bijvoorbeeld, zo'n hork in een corduroy broek en met de glimlach van een scheermesjesvertegenwoordiger. Presteert het eerst om mijn naam verkeerd uit te spreken en even later vraagt hij me of het mijn debuutroman is die ik kom signeren. En inderdaad, blijkt dat geen een van mijn andere acht romans te vinden is in zijn winkel. Begrijpt u de absurditeit van de situatie?'

Ik ben weer een u voor hem. Afstand bewaren, dat bevalt me. Wat overigens niet hetzelfde is als afstandelijkheid. Die vergissing maakte Liz aldoor. Ik stond mezelf niet toe onvoorwaardelijk van haar te houden omdat ik er zeker van was dat ik haar dan zou verliezen. Uiteindelijk ben ik haar toch nog kwijtgeraakt. Als ik geen afstand had bewaard, was haar verlangen ongetwijfeld veel eerder gedoofd. Of heeft ze op een gegeven moment haar verlangen de andere kant op gestuurd in een laatste, wanhopige poging de door mij zo angstvallig bewaakte afstand op te heffen? Waarna ze wellicht ontdekte dat er ook mannen bestaan die voluit durven gaan en dat de omgang met zo iemand veel minder energie kost, veel meer rendement oplevert. Over absurditeit van de situatie gesproken, meneer de schrijver.

Het lieveheersbeestje is terug van weggeweest. Het klautert langs de voorruit omhoog. Probeert bij de regendruppels te komen die slechts even op het glas liggen en dan worden weggemept door een rubberen staaf.

'Om nog even terug te komen op de pyromaan...' zegt de schrijver met zijn hand opnieuw in de zak van zijn jasje. 'Ik zou niet willen dat u een verkeerde indruk van hem krijgt. Ik heb misschien gesuggereerd dat de verstandhouding met zijn moeder slecht is of dat het door zijn moeder komt dat hij pyromaan is geworden. Dat is niet zo. Aan psychologische of psychoanalytische verklaringen heb ik een broertje dood. De lezer moet zelf maar uitmaken waarom mijn personages ontsporen. Ik wil geen sluitende verklaring geven want de werkelijkheid is in wezen ondoorzichtig. Al die mensen die er steeds helemaal niks van begrijpen dat een ideale echtgenoot met een goede baan zijn complete gezin uitmoordt – het was immers zo'n normále man die keurig het vuilnis buitenzette op het aangewezen tijdstip, nooit te veel dronk en zielsveel van zijn vrouw en kinderen hield. Dat men steeds weer verbijsterd is over zo'n incident, dat verbijstert míj.'

Interessant, hij noemt zo'n slachtpartij een incident. Hetgeen niet wegneemt dat hij gelijk heeft. Iedereen kan op elk moment ineens ontploffen. Daarvoor hoef je geen alcoholist te zijn of een schizofrene moeder te hebben. Het gaat erom hoe je de dingen interpreteert. Waar de een 'n mug rond zijn hoofd hoort zoemen, ziet de ander een olifant op zich af stormen. De eerste wuift wat met zijn hand, de tweede pakt zijn jachtgeweer en schiet erop los. Je sluit je ogen of je ontploft. Je denkt: het kan me niks verdommen. Of je denkt: dit moet stoppen, ogenblikkelijk stoppen. Je denkt: ik sla dat lieveheersbeestje dood, dan hoef ik ook niet vergeefs op geluk te wachten. Of je denkt: geluk bestaat niet, dus waarom zou ik dat lieveheersbeestje zijn bestaan misgunnen?

De schrijver kijkt naar zijn vuist. Ik weet zeker dat hij nog niet is uitgepraat. Waarschijnlijk waren er nog geen vijf mensen bij die signeersessie. Hij heeft daar bijna twee uur lang voor lul gezeten in een hoekje van de boekhandel terwijl bij de kassa aldoor boeken werden afgerekend die niet door hem waren geschreven. Nu wil hij de schade inhalen. Nu eist hij de aandacht op.

En ja hoor, terwijl we Straat 33 oversteken en op het Beursgebouw afkoersen, neemt hij weer het woord. Hij zegt dat de pyromaan een vriend heeft. Een rijkeluiszoontje met een angstaanjagend goed stel hersens. Een briljant rotjong dat zijn zusje terroriseert en zijn vader ridiculiseert. Zijn zusje heeft het syndroom van Down, zijn vader zit in een rolstoel omdat hij verlamd is geraakt na een val van zijn paard. Zijn moeder wil hem naar een internaat sturen omdat ze genoeg heeft van zijn pesterijen en zijn provocaties. Hij weet zijn vriend de pyromaan ervan te overtuigen dat de protserige villa waar hij woont in brand moet worden gestoken, met het hele gezin erbij.

De schrijver kijkt me van opzij aan. Hij hengelt naar een blijk van goedkeuring, verontwaardiging, ongeloof. Ik houd mijn blik gericht op de weg. Wat mij betreft kan hij in de stront zakken met zijn bespottelijke romannetje. Volgens Liz denken schrijvers dat ze de werkelijkheid moeten aftroeven, overtroeven met zogenaamd choquerende maar in werkelijkheid volstrekt ongeloofwaardige verhalen. Toen ze een keer zoiets zei, antwoordde ik, fervente liefhebber van fictie, dat journalisten gefrustreerd zijn omdat ze zich aan de feiten moeten houden en daarom geneigd zijn tot overdrijving, vervorming, verminking. Natuurlijk voegde ik er snel aan toe dat zij daar een gelukkige uitzondering op vormde, maar dat mocht niet baten, haar stem was ineens van ijskoud metaal, een boksbeugel waarmee ze op me in ramde. Hoe durfde ik haar beroepsgroep van leugens te betichten, zij haalde altijd de onderste steen boven, soms zelfs met risico voor eigen leven. Wat wist ik ervan, ik die zelden een krant inkeek, alleen maar lafhartig romans las die zich nooit in ons eigen tijdsgewricht afspeelden, ik die nergens voor stond, me met niks of niemand engageerde, me zelfs bij mijn eigen vrouw niet betrokken voelde, ik die er altijd voor terugdeinsde wat dan ook, wie dan ook te omarmen, alleen maar in staat was de scepticus en de ironicus en de cynicus uit te hangen, ik die hooguit voor wat oude meuk enig enthousiasme aan de dag kon leggen, voor een potscherf van een of ander verdwenen volk of een grafvaas uit de vierde eeuw voor Christus, nee, ik had geen enkel recht van spreken.

Soms is het cruciaal te weten wanneer je je bek moet houden.

Ik had niks moeten zeggen toen. Ik wist dat er stront van ging komen. En toch deed ik het, telkens weer zei ik dingen tegen haar waarvan ik wist dat ze me in moeilijkheden zouden brengen. Waarom? Om bewezen te krijgen dat ze nog wat voor me voelde? Om haar hartstocht over me heen gekieperd te krijgen? Omdat ik de indruk had dat ik het dichtst bij haar stond als we ruzie maakten?

De schrijver hoef ik niet tegen te spreken, dat is de moeite niet. En omdat ik niks zeg en hij bang voor de stilte is, gaat hij verder met zijn verhaal. 'De vriend van de pyromaan beschouwt zijn familie als een gezwel dat tot op het bot verschroeid moet worden. Voor zichzelf maakt hij geen uitzondering. Tegen de pyromaan zegt hij dat hij de stank van zijn eigen ziel niet meer verdraagt. Het vuur van de pyromaan moet die ziel reinigen. Ze spreken een bepaald tijdstip af waarop de pyromaan zal toeslaan. Uiteindelijk loopt alles mis. Als de pyromaan de villa aansteekt, is alleen zijn vriend thuis. Het zusje is al een tijdje zoek, die dwaalt ergens in een bos rond met een gelukzalige glimlach op haar lippen. De ouders hebben autopech gekregen en moeten teruglopen omdat ze hun mobiele telefoon zijn vergeten. De moeder duwt de vader voort in zijn rolstoel en als ze eindelijk bij hun huis aankomen, is het al zowat verkoold.'

Ik laat een geluid ontsnappen door mijn neus. Gegnuif zou je het kunnen noemen. Uiteindelijk loopt alles mis – zo, zo. Wat een wijsheid. Misschien moet ik de schrijver aanraden alle resterende exemplaren van zijn boek in de hens te steken bij wijze van publiciteitsstunt. Fictie wordt werkelijkheid. De vlammen slaan over van de woorden naar de dingen, van het immateriële naar het materiële. Het verhaal zet zichzelf in de fik. Zoiets. Of de schrijver moet zijn roman in het bijzonder en de met rampspoed bedreigde boekenwereld in het algemeen onder de aandacht brengen door een zelfverbranding te organiseren op een strategische plek.

'Wat vindt u ervan?' vraagt hij. Zijn oranje sneakers trappelen op onzichtbare orgelpedalen.

'Het doet enigszins aan *Equus* denken', zeg ik. 'Aan die jongen, Alan Strang, die op eenzelfde hartstochtelijke en nietsontziende manier naar een soort religieuze zuiverheid streeft. Die is toch ook zeventien? En in plaats van brand te stichten steekt hij paarden de ogen uit. In beide gevallen een gruwelijk offer voor een zogenaamde hogere gerechtigheid. En als ik me niet vergis, wilt u zich net zomin als Peter Schaffer een moreel oordeel aanmeten, veeleer het conflict zichtbaar maken tussen een radicale persoonlijke vrijheidsdrang en een maatschappelijk keurslijf van voorschriften en beperkingen.'

De schrijver draait zijn hoofd van me af. Zijn hals is vuurrood. Allebei zijn handen zoeken hun toevlucht in de holtes aan weerszijden van zijn colbert. Hij is net zo verbijsterd als de mensen die hij minacht omdat ze altijd verbijsterd zijn over de loop der dingen. Al die tijd heeft hij gedacht dat er een analfabeet naast hem zat. Een onmondige wiens beperkte horizon opgerekt moest worden met een stichtelijk verhaal. En nu komt hij dan van een koude kermis thuis. Omdat uiteindelijk bleek dat die jongen bij de schiettent zijn adviezen helemaal niet nodig had en veel vaker doel trof dan hijzelf.

Maar ook al heeft die jongen een megabeer gewonnen, hij weet daarna niet meer waar hij met die trofee heen moet. Van een koude kermis thuiskomen, dat is altijd nog beter dan helemaal niet meer thuis kunnen komen. Omdat je huis verkoold is. Als het ware. Omdat alles wat je dierbaar is, afgefikt is. Zogezegd. Omdat je eigen leven onbewoonbaar is verklaard.

Grote woorden, mijn vriend. Die kun je beter aan je buurman overlaten. Maak liever je raampje open zodat het lieveheersbeestje kan ontsnappen. De regen tegemoet. Op zoek naar zijn grote broeder de luchtballon.

Ik rem af voor een tram die diagonaal het Keizerplein oversteekt. Zes paar anonieme vrouwenbillen, geaccentueerd door een minuscuul reepje stof, trekken aan ons voorbij. Liz ergert zich rot aan dergelijke reclameposters. Of moet ik zeggen 'ergerde'? Het is toch voorbij tussen ons, of niet soms? Volgens haar bevestigden zulke posters het wereldwijd door mannen gekoesterde beeld dat een vrouw slechts een lustobject is. Met grote stelligheid beweerde ze dit hoewel ze in elke etalageruit haar uiterlijk inspecteerde en voortdurend wilde weten hoe haar kapsel zat, of haar decolleté nog voldoende diepgang had, de naad van haar kousen exact over het midden van haar kuiten liep, de lippenstift niet buiten zijn oevers was getreden. Probeer dat maar eens te verklaren. Schrijf daar maar eens een boek over, meneer de romancier, in plaats van een stelletje geflipte losers ten tonele te voeren die volledig buiten de werkelijkheid staan.

Ik erger me alleen aan die reclameposters voor zover ze de prachtige stadstrams ontsieren en de openbare ruimte verkwanselen. Een lekkere kont moet aan een vrouw van vlees en bloed vastzitten, niet aan een tram of een gevel. Alles in deze stad wordt stelselmatig geprostitueerd, gedeformeerd en geruïneerd.

Het lieveheersbeestje is weer terug op de basis: het colbertje van de schrijver. Omdat ik heb verzuimd het raam te openen. Nu ziet de schrijver het, ik heb hem alerter gemaakt op zijn omgeving door mijn onverwachte recensie van zijn roman. Door de voormalige leraar in mij aan het woord te laten. Door over religieuze zuiverheid te orakelen. Een gruwelijk offer voor een hogere gerechtigheid, ja, ja.

'Het is een algemeen aanvaard misverstand dat een onzelieveheersbeestje een voorbode van voorspoed is', zegt de schrijver terwijl hij angstig toekijkt hoe het schildvleugelige insect naar zijn broek toe trippelt. 'Feitelijk is het een roofdier dat onder meer vlindereitjes verslindt. Als je hem aanraakt, produceert hij een vreselijk goedje dat vies ruikt en bitter smaakt. Bovendien eten veel soorten schimmels, waardoor ze ziekten verspreiden.'

'Maar lieveheersbeestjes worden toch ook ingezet om plagen te bestrijden, om bijvoorbeeld bladluis tegen te gaan?'

Hij kijkt me met minstens zoveel walging aan als waarmee hij daarnet zijn gestippelde belager heeft gemonsterd. 'Dat klopt. Ze lijken een beetje op die deugdzame familievaders die van de ene op de andere dag hun gezin uitmoorden.'

Jij je punt, man. Moge het zevenstippelige of elfstippelige monster je broek binnendringen om ter hoogte van je scrotum zijn ziekten te verspreiden.

Onder het viaduct door en dan een scherpe bocht. De apex van de bocht is het punt waar je de laagste bochtsnelheid hebt. Daarna kun je weer accelereren. Waarvan akte.

Vanuit de mand van de nu al minutenlang onzichtbare luchtballon moet mijn loodgrijze wagen te zien zijn als een muntje dat over de toonbank wordt geschoven, een fooi die zo gering is dat de barman er aanstoot aan neemt en weigert dat blikkerige ding te accepteren, het laat liggen terwijl de gever zich al heeft omgedraaid, al aan het verdwijnen is.

Ik sluit achteraan in de rij taxi's voor station Oost. Het zijn er minstens acht, verdomme. En nu mijn heiligdom uit, meneer de schrijver. En neem dat roofdier ook maar mee.

Hij tast in zijn zakken, vist iets op dat op een huishoudbeurs lijkt. De geldbuidel van moeder de vrouw. Op de cent af nauwkeurig legt hij het verschuldigde bedrag in mijn handpalm. Daar gaat de opbrengst van je fantastische signeersessie, betweter.

Hij stapt uit, een paraplu heeft hij niet. In een oogwenk verschijnen er donkere vlekken op zijn colbertje. Het lieveheersbeestje is bezig zijn ziekten te verspreiden. Hij heft de plastic tas van Samsa boven zijn hoofd bij wijze van schild. Staat stil. Komt terug. Klopt op de ruit. Is het de Kerstman met toch nog een fooi?

Ik open het raampje precies zo ver dat zijn hoofd net niet door de uitsparing kan.

'Ik wilde nog zeggen...' zegt hij, '... mijn boek heet trouwens *Brandmerk*. Misschien dat u... Ach, weet je wat...'

Hij buigt voorover. Tussen de natte haren op zijn achterhoofd schemert de schedel. Daar is zijn gezicht weer, met de kleur van ossenbloed. 'Hier, voor u.'

Een boek komt op me af gefladderd. Ik pak het aan. Nu is het mijn beurt om verbijsterd te zijn. Voordat ik hem kan bedanken, loopt hij alweer in de regen. Zijn dubbelganger staart me meewarig glimlachend aan vanaf de achterkant van het boek. Alsof hij weet dat ook ik zo iemand ben die de stank van zijn eigen ziel niet langer verdraagt.

In de stationsboekwinkel is het rustig. Vooral toeristen die op zoek zijn naar plattegronden of handzame gidsen van de stad. Grijnzend en breed gebarend helpt een medewerker hen op weg, zijn klanten lijken de Engelse taal niet machtig te zijn. De binnengekomen schrijver is nog te veel met zijn hoofd bij de zojuist genoten taxirit om de vlek waar te nemen die prijkt onder het geborduurde anker op de witte schipperstrui van de medewerker. Daardoor ontgaat hem de mogelijke gevolgtrekking dat de vlek het werk is van de vrouw achter de kassa: opzettelijk onachtzaam schonk zij vanochtend de koffie in het bekertje dat haar collega ter hoogte van zijn middenrif hield.

Terwijl hij doelloos door de winkel drentelt, zegt de schrijver bij zichzelf dat de taxichauffeur die hem hierheen heeft gebracht een baken van beschaving is in dat wereldje van halve hooligans en oplichters. Een toonbeeld van kalmte ook, die man. Een roman over een taxichauffeur die midden in de nacht beroofd en in elkaar geslagen wordt en zichzelf terugvindt in de armen van zijn ex, die toevallig langs de plaats delict liep op weg naar huis na een mislukte date – zou dat niet wat zijn?

De schrijver is dermate in gepeins verzonken dat hij pardoes tegen een man op botst die in een blootblad staat te bladeren. Door deze schok ontwaakt hij zogezegd en wordt zich bewust van zijn omgeving. Hij stelt vast dat de leesbrillen in de molen vaker worden vastgepakt dan de literatuurpockets die open en bloot op tafels liggen, schaamteloos hunkerend naar een aanraking. Ook signaleert hij dat de aanwezige ogen veelvuldiger en begeriger over de vitrines glijden waar een kwalitatief hoogstaand pennenaanbod is uitgestald dan langs de rekken waarin de boeken zijn samengeperst.

Bij de wenskaarten wordt gegiecheld en de medewerker met zijn schipperstrui prijst inmiddels een familiespel aan dat garant staat voor avondvullende gezelligheid. 'Een baken van beschaving,' mompelt de om zich heen spiedende schrijver, 'in een poel van platitudes en prostitutie.'

Terwijl de vrouw achter de kassa een van surfpaktextiel gemaakte laptoptas afrekent, pakt de schrijver de Gazzetta dello Sport uit het rek met de buitenlandse kranten. Daarmee wandelt hij naar de thrillerhoek en verdwijnt achter een hoge kast, buiten het zicht van de winkelmedewerkers. Onder dekking van baksteendikke Ludlums en Frederick Forsyths vist de schrijver een aansteker uit zijn jasje en houdt deze bij de krant. Het roze papier vat vlam en landt boven op een rijtje romans van Dan Brown. Pas als de schrijver de winkel heeft verlaten, ontdekt de vrouw achter de kassa, bezig de prijs van een als Perzisch tapijtje vormgegeven muismat te scannen, dat er iets mis is. Ze begint te gillen. Woedend kijkt de medewerker met de schipperstrui naar de vrouw, nog onkundig van het feit dat zijn werkomgeving weldra reddeloos verloren zal zijn.

12:09 UUR

Er zijn nog zeven wachtenden voor u... Zeven collega's, die vanwege de weinig toeschietelijke weersomstandigheden goddank geen behoefte hebben aan een praatje. Waarschijnlijk proberen ze puzzels op te lossen of spelen ze patience op hun smartphones. Of ze bladeren in een krant gevuld met tieten en moorden. Uit het station komen amper mensen. Taxi's hebben ze niet nodig – hun trouwe partner wacht op hen in een glanzend voertuig.

Het is mij een raadsel wat ik hier nog doe. In deze auto. In deze tank. Buiten leeft men erop los alsof er verdomme niks gebeurd is. Er is ook niks gebeurd, je hebt het allemaal maar verzonnen om je leven wat kleur te geven. De werkelijkheid is onkenbaar, zei de schrijver. Maar dat is ook een poging de duisternis te verklaren. Het is onze plicht ons oordeel zo lang mogelijk op te schorten, zei hij ook als ik het me goed herinner. Precies. En daarom ben ik nog niet uitgestapt om midden op de weg te gaan liggen in afwachting van andermans oordeel.

Er zijn bepaalde delen in mijn lichaam waar het verleden sterk aanwezig is. En die delen dreigen nu op te bollen. Waardoor er op zijn beurt iets in mijn geest oplaait. Als je op die delen drukt, zou er weleens zo'n vloeistof uit kunnen stromen als het lieveheersbeestje produceert wanneer het zich bedreigd voelt. Bitter en onwelriekend. Een soort etter. Misschien wel giftig.

Het heden loopt langzaam maar onstuitbaar leeg. Alsjeblieft, geef mij een praatzieke klant, een onoplosbare kruiswoordpuzzel, een krant boordevol tieten en... Een boek. Natuurlijk, het boek van de schrijver. Dat hopelijk leest als een trein. Een trein die sneller dan het licht voortijlt en de duisternis achter zich laat. Ik sla het open en stel vast dat mijn handen beven. Ik probeer me te concentreren. *Wie niet weg is, die is gezien. En wie gezien is, die is er geweest.* Wat een flauwekul. *De overbodigheid zo stijlvol mogelijk vormgeven, daar gaat het om. Zodat we vergeten dat we overbodig zijn.* Wie zegt dat, de pyromaan? Dat lijkt me sterk. O nee, het is zijn vriend, het geniale rijkeluiszoontje. Nou, diepzinnig hoor. Draai de bladzijde maar weer om. Wat is dit? Een dialoog. De zoveelste. *'Haat je mij, haat je je eigen moeder?'* vroeg mevrouw Wegman. *'Haat. Een mooi woord',* antwoordde de pyromaan. *'Maar nee, het lukt me niet u te haten. Hoe kan ik u serieus nemen met al dat speelgoed van u?' 'Speelgoed? Waar heb je het over?' 'Al die beesten van u. Al dat pluche, dat porselein. Die heiligen, die borduursels, die reproducties, die doosjes en kistjes. Al dat surplus.' 'Dat is geen speelgoed,'* zei mevrouw Wegman, *'dat zijn souvenirs. Om te bewaren wat mij dierbaar is.' 'Om te bewaren wat al lang kapot is. Hoe minder we hebben, hoe minder kapot kan. Al die spullen van u, die hele kermis, dat is allemaal angst. Omdat u niet naakt durft te zijn.' 'Ach jongen. Sinds je vader dood is, hoeft dat ook niet meer. Nu heb ik mijn beesten en mijn heiligen, en die hoeven mij niet bloot te zien.' De pyromaan liet een schampere lach horen. Mevrouw Wegman ging bij het raam staan en keek naar buiten.*

Naar buiten, een goed idee, ja. Ik open het raampje en gooi het boek de regen in. Hoe minder we hebben, hoe minder kapot kan. Ontkoppelen – niet alleen de handrem, nee, de hele teringzooi. *Damage control.* Zodat ik weer vooruit kan. Weg hier, ik ga niet nog urenlang wachten. Ik laat de motor loeien, het stuur tollen. Krijg maar allemaal de klere.

'De drieduizenddriehonderdnegenennegentig is op weg naar standplaats Koopplantsoen.'

'Stond de driedubbelnegendubbel niet op standplaats Oost?'

'Ja, daar stond hij. Maar daar was het een dooie boel.'

Het is bevrijdend om over jezelf in de derde persoon te spreken en als getal behandeld te worden. Een getal dat zo lang en ingewikkeld is dat niemand vat op je krijgt.

Ik rijd de Kathedraalstraat in en tegelijkertijd steek ik de sleutel in de voordeur. Ik zoek houvast bij het stuur en de versnellingspook en ik pak Liz bij haar schouders, graai in haar opgestoken haar. De winkelpui op het 14 Juniplein verkruimelt, de haartoren stort in. Dit moet ophouden, zeg ik, zei Liz. Probeer je te concentreren. Probeer te abstraheren. De hersenen schijnen eruit te zien als een kluwen verbindingswegen met veel rijstroken. Vandaar dit simultane gesodemieter. Je moet er gewoon voor zorgen dat meer rijstroken worden benut. Meer dan twee. Om de aandacht te verdelen. Om het gif te verdunnen. Een klant zou helpen. Een klant die je de oren van de kop lult.

Alle raampjes openen en dan schreeuwen. Alles eruit schreeuwen.

De kathedraal aan het eind van de weg is niet meer wat hij geweest is. Verbouwd tot appartementencomplex. Het Museum voor Fossielen en Reptielen vervangen door een winkelcentrum. De cd-winkel gesloopt ten gunste van een sneakershop. Niets blijft, zoveel is zeker. Waarom dus getreurd? Waarom dus stompzinnig geloven in eeuwige trouw? Allemaal angst, zei de pyromaan. Zonder onze knuffelbeesten en heiligenbeelden lukt het niet. Tenzij we alles tot de grond toe afbranden.

Mijn taxi dobbert door etalageruiten, ruiten die de ruiten van mijn voertuig weerspiegelen, en ergens daartussen, daarachter, ik, steeds in een andere winkel, nu eens te midden van computergadgets of onbetrouwbare horloges, dan weer tussen verweesde gebakjes en glanzende schoenen. Overal en nergens. Een spook.

Adem in, adem uit. Niet te diep maar ook niet te licht. Gelijkmatig. Zonder haperingen. Zo ja. In. Uit.

Het is niet waar. Een aanloper. Een vrouw die zowat midden op de weg staat te zwaaien. Die mij net zo hard nodig heeft als ik haar. Victorie! Zie je wel, er is nog hoop. Zelfs voor jou ligt er ergens een zaklampje in de tunnel.

Het duurt even voordat het achterportier opengaat. Dan glipt er een schimmig wezen naar binnen, iets kwikzilverigs. Gevolgd door iets logs en onbeholpens. Een hond en een oude vrouw, zie ik nu ik mijn hoofd een kwartslag verder heb gedraaid. De hond schurftig en ongedurig, de vrouw in een soort kamerjas en met een gebreid mutsje op het hoofd. Allebei kletsnat van de regen.

De hond lijkt weer naar buiten te willen. Hij heeft geen halsband.

'Is die hond wel van u? Is het geen zwerfhond?'

'Ja', zegt de vrouw aarzelend. Nou weten we nog niks. Omdat ik twee vragen tegelijk heb gesteld. Blijf je bij mij of trek je nu bij hem in? Beschouw je die klootzak als een zwerfhond of ben je nu van hem?

Fuck it. Rijden met die handel. Des te beter, nu heb je twee rijstroken erbij in plaats van één. Hoe meer verstrooiing, hoe beter. Ik laat de koppeling opkomen. De staart van de hond slaat tegen mijn rugleuning. Alles wordt zeiknat daarachter. Terwijl de wagen al vaart maakt, vraag ik de vrouw waar ze heen wil.

'Naar huis.'

'Oké. En waar is dat?'

'Thuis. Bij mamma en pappa.'

O god, dat heb ik weer. Zo dement als een deur. Is waarschijnlijk ontsnapt uit een of ander verpleegtehuis. Heeft ongetwijfeld geen geld bij zich.

'En waar wonen mamma en pappa?'

'Thuis.'

Ik zet het waarschuwingslicht aan, stop naast een bestelbusje en maak mijn veiligheidsgordel los. Op het moment dat ik me omdraai, schiet de hond naar voren, langs me, regendruppels vallen op mijn hand. Godverdomme. Vanaf de passagiersstoel kijkt de hond me onderzoekend aan. Moet ik de hond terugjagen of moet ik de tas van de vrouw doorzoeken om een adres te vinden? Hou daar nou eens mee op. *First things first*. Ik vraag de vrouw of ik in haar tas mag kijken. Ze slaat haar armen eromheen alsof de tas een teddybeer is. Ik strek mijn hand uit. Liz wilde haar telefoontje niet geven. Geef hier, brulde/brul ik. Die verdomde hond snuffelt aan mijn broekzak. Met mijn linkerhand sla ik zijn kop weg, met de andere ruk ik de tas naar me toe. Wie niet horen wil, moet maar voelen.

De tas zit tjokvol rommel. Een half opgegeten mueslibol, een mok, bidprentjes, suikerzakjes, twee smurfen, een damesromannetje, los muntgeld, een paar speelkaarten, verkreukelde foto's, een breipen. Dit zou de moeder van de pyromaan kunnen zijn. Souvenirs uit een half opgebrand leven. De nar, het fotootje van Liz, een... Als ik zo doorga, kan ik net zo goed meteen naast dat demente mens gaan zitten en het alarmnummer bellen. Dat ze ons komen ophalen. Aangezien we het niet meer weten. Aangezien we reddeloos verloren zijn. Zij omdat ze zich niks meer herinnert, ik omdat ik me alles herinner.

Helemaal onder in de tas zit een adresboekje en helemaal voor in dat boekje staat een naam die weleens zou kunnen toebehoren aan de vrouw in mijn taxi. Ik zeg de naam hardop en geestdriftig herhaalt ze hem. Emily Brodovic. Het adres dat onder de naam staat, is ergens in wijk Q, een teringeind hiervandaan. Als ik het noem, kraait ze 'Mamma! Pappa!'

Ik waag het erop. We gaan op weg. Naar een huis waar ze misschien al lang niet meer woont. Waar andere mensen er een zootje van maken. We zien wel waar het schip strandt. Waar deze twee schipbreukelingen aanspoelen.

Het meisje van de centrale noemt me een mazzelpik als ik in de mobilofoon vertel waar ik mijn nieuwe klant heen breng. Ik weet niet of ze het ironisch of serieus bedoelt. Wijk Q is niet bepaald een gezellige buurt, daar worden taxi's soms met stenen bekogeld. Maar een rit naar wijk Q betekent ook flink cashen omdat het minstens twintig minuten hiervandaan ligt. Misschien bedoelde Liz het ook wel ironisch toen...

'Wie was dat? Was dat je lekkere wijf?' vraagt een krakerige stem achter mij.

'Wie? Ik... nee, dat was het meisje van de centrale. Ze wil altijd weten waar ik heen ga.'

'Meisjes zijn stom. *Ubique puellae sunt, festus est.*'

'Ja, meisjes zijn stom. En ze maken je kapot, die meisjes.'

Ze giechelt. Als een meisje. De hond stinkt maar hij houdt zich al een tijdje gedeisd. Vrijwel roerloos zit hij op de stoel naast me, de achterpoten ingeklapt, de voorpoten verticaal. Alleen de neusgaten trillen. Alsof hij iets op het spoor is.

Vanaf de achterbank klinkt gesmak. De achteruitkijkspiegel verraadt me dat Emily een appel eet. Waar heeft ze die vandaan? Die zat in ieder geval niet in de tas. Misschien in een van de zakken van haar kamerjas. Dat mutsje van haar. Aandoenlijk. Liz vond mijn muts belachelijk. Tussen twee ritten gekocht bij... hoe heet die zaak ook alweer? Nou ja, doet er ook niet toe. Ze beloofde me zelf een nieuwe muts te haken. 'Voor mijn mannetje.' Maar aan het eind van de winter had mannetje nog steeds geen muts. Omdat ze het zo druk had. Omdat haar vingers steeds de smartphone-toetsjes moesten bespelen en later ook... Ja, ja, dat weten we nou wel. Na een hoop gezeur van mijn kant was hij dan eindelijk klaar, de muts der mutsen. Plusminus vijf weken geleden, de dooi was al ingetreden. En toen bleek-ie niet te passen, zat-ie te strak. En toen... hoppa, rücksichtslos trok ze de stof los terwijl de muts nog mijn kop afknelde. Alsof mijn hersenen werden afgehaspeld, zo voelde het. Ze was er met haar hoofd niet bij geweest. Ze had wel wat anders aan haar hoofd. En in haar hoofd. En in haar buik. Vlinders en zo.

Te ver, veel te ver ga je met al die Lizziaanse associaties. Waar hebben we het hier helemaal over? Een mutsje, man, een onnozel mutsje draagt die vrouw, en jij begint te zeuren over...

Die rothond zit te kwijlen. Vlekken op de passagiersstoel. Sporen die moeten worden verwijderd.

'Gossiemijne', hoor ik Emily zeggen.

Gossiemijne. Een woord uit een ver verleden.

Langs de caféterrassen aan het Vrijheidsplein. Tafeltjes in de motregen. Ingeklapte parasols die erbij staan als droevige gieren – al dagenlang wachten ze op een kadaver.

'Waar gaan we heen?' vraagt Emily. Ze klinkt verontwaardigd.

'Naar huis. Naar mamma en pappa.'

'Nee, niet naar huis! Pappa is boos. Want mamma is dom geweest.'

'Ja, mamma is dom geweest, dat klopt. Maar... maar pappa is niet meer boos. Pappa is rustig nou, pappa is weer lief.'

Ze lijkt voorlopig genoegen te nemen met deze verklaring. Zo te horen zoekt ze wat in haar tas. Misschien wel de appel die ze zojuist heeft opgegeten. Een staat van genade. Ik zou er alles voor over hebben om haar te mogen zijn. Niks meer van gisteren weten, gelukzalig rondzweven in een zonovergoten kindertijd.

Ik werp een vlugge blik over mijn schouder. Ze speelt met de twee smurfen.

De regen spat steeds harder uiteen op de voorruit, de ruitenwissers kunnen het ternauwernood bolwerken. De hond begint te janken. 'Stil, Castor!' roept Emily. Zou dat beest dan toch van haar zijn? In ieder geval houdt het gejank op. Misschien verbeeldt ze zich dat hij de hond is die ze vroeger had, toen ze nog blonde vlechtjes had en een overgooier droeg. Toen pappa en mamma nog van elkaar hielden.

'Wie ben jij eigenlijk?' Vraagt ze het aan een van de smurfen of aan mij? Ik gok op het eerste maar ik blijk me te hebben vergist.

'Ik ben een vriend', zeg ik uiteindelijk. 'Ik breng je naar huis en dan gaan we samen limonade drinken en pannenkoeken eten.' En dan mag ik hopelijk blijven slapen en voor altijd bij je blijven wonen omdat ik geen huis meer heb.

'Doe niet zo onnozel. Denk je soms dat ik achterlijk ben?'

In plaats van te antwoorden lach ik. Dit is de eerste keer vandaag dat ik lach. De hond kijkt me verwijtend aan, of verbeeld ik me dat? Wat jij je niet allemaal verbeeldt, zei Liz.

In de verte doemen de woontorens van wijk Q al op. Ook daar hijskranen. Ook daar wordt gesloopt, gesaneerd. Mogelijk is de woning van Emily zojuist weggevaagd. Waar moet ik dan met haar heen?

Elk stoplicht, elke hobbel, elke scherpe bocht is een syncope: ze veranderen het ritme van de taxi, morrelen aan de maatindeling van mijn atonale gedachten. Dat het nog niet een en al kakofonie is in die kop van mij, heb ik te danken aan een schurftige hond en een demente vrouw.

Het horloge loopt, de nar danst, de motor snort. Houd de vaart erin en er kan je niks overkomen. Links en rechts van me de ijzeren wratten van de airconditioners aan gevels groot als voetbalvelden. De vooroorden, daar heb ik me altijd het meest op mijn gemak gevoeld. Omdat de mensen tussen al die kolossale bouwgedrochten geruststellend klein ogen. Tekenfilmfiguurtjes waarom je moet lachen, bezig met spelletjes die zonder enig gevolg blijven. In het hart van de stad daarentegen, daar waar ik woon, woonde, daar hoef je je arm maar uit te steken of je hebt al iemand verwond. Daar zijn de mensen wandelende schadeclaims. Zodat het op een dag, een zekere dag, misgaat. Faliekant mis. Onvermijdelijk.

'Ik vind er geen klap aan.' Emily heeft weer wat.

'Sorry?'

'Geen klap aan. Het leven. U wel dan?'

Frappant, naarmate we dichter bij haar huis komen, lijkt ze steeds samenhangender te worden.

'Het leven... Nee, erg opwindend is het niet. Meestal. Maar soms gebeurt er iets waardoor het toch weer ineens... misschien niet echt de moeite waard wordt, maar toch... toch in een soort stroomversnelling raakt. Zoals wanneer...'

Je kunt vrijuit spreken tegen deze vrouw. Je zou haar alles kunnen vertellen en het zou je geen schade toebrengen. Een poreus geheugen is niets minder dan een zegen.

'Zoals...?' dringt ze aan. Ze lijkt opeens hartstikke wakker. Nee, ook bij haar moet je op je tellen passen.

'Zoals wanneer er ineens een zwerfhond in je taxi springt samen met een vrouw die niet meer weet waar ze woont.'

'Wanneer was dat dan?'

Houdt ze me nou voor de gek? Heeft ze me al die tijd voor de gek gehouden? Totdat ik het ineens begreep, ik godvergeten idioot, gisteravond pas, terwijl het al maandenlang aan de gang was.

'Dat was... nog niet zo lang geleden', zeg ik en draai de Meubelboulevard op. Allemaal vlaggen hier. Vlaggen die anders wapperen dan vanochtend vroeg. De wind is gedraaid. Hoe lang is dat al? Er is zoveel dat me ontgaat.

'Wie is dat?'

'Wie?'

'Die vrouw daar. Is dat je lekkere wijf?' De rimpelige wijsvinger van Emily hangt in de lucht, een biddende valk tussen mij en de hond. De vrouw op de foto vertrekt geen spier.

'Ja, dat is Liz. Mijn wijf. Mijn lekkere wijf. Mijn kutwijf.'

Ze schatert. 'Lekker wijf, kutwijf! Een lekker wijf is een kutwijf. Ik ben ook lekker.'

'Dus dan ben jij ook een kutwijf?'

'Kutwijf, kutwijf, kutwijf! *Ubique puellae sunt, festus est.* Mamma is niet thuis, pappa is boos.'

Rustig nou maar. Jij ja. Jij die dacht dat je alles in de hand had. Jij met je vervloekte gelijkmoedigheid. Met je bespottelijke voorzichtigheid. Met je eeuwige twijfels. Zoals zij haar lippenstift gebruikte, zo gebruikte jij je twijfels. Om jezelf onder ogen te durven komen. En zie waar het je gebracht heeft. In een situatie waarin een mesjokke vrouw je moet redden.

Niet normaal zoals die hond stinkt. Om van over je nek te gaan. Maar als ik de raampjes open, wordt-ie nog natter en gaat-ie nog meer stinken. De laatste maanden stonk ze ontzettend uit haar mond, echt niet te harden. Zoals m'n ouwe heer op het eind van zijn leven. Je moest altijd dicht bij zijn gezicht komen om hem te kunnen verstaan. En dan rook je het – alsof een graf werd geopend als die lippen van elkaar gingen. Schimmel, bedorven vlees, rottende citroenen. Ik zei dat ze haar tandvlees beter moest verzorgen maar ze antwoordde dat ze puisten kreeg van flossen. Ik kon m'n oren niet geloven. Ja, puisten rond haar mond omdat haar handen daar steeds over de huid wreven. Ik zei dat ze dan maar eens naar de tandarts moest, hoe lang was het wel niet geleden dat ze die man had gezien, misschien had ze wel een ontsteking. En toen was het van waar ik me in godsnaam mee bemoeide, het was háár leven en háár mond en als ik haar niet meer wilde kussen, nou pech dan maar. Waarschijnlijk heeft ze toen gedacht dat hij er nooit iets over had gezegd, dat hij nog altijd zonder problemen zijn tong bij haar naar binnen stak en dat er dus niks aan de hand kon zijn.

We rijden wijk Q binnen. Habitat van de verschoppelingen. Territorium van de illegalen, de kleurlingen, de junks, de pitbulleigenaren, de kakkerlakvangers, de werkelozen, de alcoholisten. En van Emily Brodovic, veronderstel ik. Betonnen flatgebouwen met afgebrokkelde balkons. Stoepen bezaaid met lege bierblikjes en flessenscherven. Vernielde bushokjes. De hond springt tegen het zijraampje op en jankt. Hij is weer thuis, hij wil eruit. Emily roept hem niet tot de orde. Waarschijnlijk is ze druk bezig de omgeving in overeenstemming te brengen met de mistige contouren die haar geheugen haar voorschotelt. Achter een van die honderden gelijkvormige ramen staat haar bed. Probeer daar maar eens wijs uit te worden.

Het is lang geleden dat ik hier was en nog langer geleden dat ik voor mijn taxi-examen een dwarsstraatje in deze wijk moest aanwijzen op een reusachtige blinde kaart. Gelukkig hebben bijna alle straten hier nummers, tussen de 820 en de 890, ook al is de rangschikking niet altijd even logisch. De kortste weg naar nummer 2214 op Straat 888 weet ik niet, maar we komen er wel. Emily om uitkomst vragen lijkt me zinloos. Ze zou vermoedelijk informatie uit haar slaapkwab losschoffelen die betrekking heeft op een volstrekt andere plattegrond, bijvoorbeeld van een bergdorpje in Montenegro, waar ze haar jeugd heeft doorgebracht.

Het zijraampje zit onder de pootafdrukken en kwijldraden. De achterbank zal ook wel een bende zijn. En dat Emily mij zo dadelijk vorstelijk zal belonen, lijkt me uitgesloten. Het is voor een goed doel, zullen we maar zeggen. Een boetetocht.

'Gossiemijne.'

De vrouw die dit zegt, herken ik niet. De binnenspiegel toont een kaal hoofd met levervlekken. Gossiemijne. Een stippeltjesschedel. Een soort voorstadium van een doodshoofd. Verschrikt kijk ik over mijn schouder. Het is wel degelijk Emily die daar zit, met op haar schoot het gebreide mutsje en een pruik.

Ik draai mijn hoofd terug en... Godverdomme! Vol op de rem, de hond smakt tegen het dashboardkastje, de pruik fladdert door de wagen. Midden op de weg ligt een boodschappenwagentje. Allicht een geintje van de buurtjeugd. 'Kladderadatsch', kraait Emily.

Argwanend kijk ik om me heen. Voor hetzelfde geld is dit een valstrik, verleiden ze je uit te stappen en gaan ze er dan met je auto vandoor. En met Emily. Dan ben je nog verder van huis. Dan kun je net zo goed meteen van de hoogste flat hier afspringen. Om van al het gedonder af te zijn. Van de heisa in je kop, het kabaal in je hartstreek.

Er is niemand, tenzij ze zich verstopt hebben. Kom op, je hebt toch helemaal niets meer te verliezen. Ik open het portier en voordat ik zelf kan uitstappen, is de hond al over me heen gesprongen. Hij heeft iets in zijn bek. Iets wat lijkt te leven, wat beweegt. Terwijl hij wegrent, zie ik het. Het is de pruik van Emily Brodovic.

Ik trap het ijzeren wagentje aan de kant en keer terug naar de taxi. Emily zit nog steeds braaf op de achterbank. Het lijkt haar niks te doen dat de hond is verdwenen. Ze heeft niet eens 'Quo vadis, Castor?' geroepen. Beste bewijs dat dat beest helemaal niks met haar te maken heeft, gewoon een slimme zwerfhond die een gratis ritje heeft versierd. Of is het allemaal niet tot haar doorgedrongen wat er zojuist gebeurd is? Misschien rent ze nog tussen de schapen rond in dat Montenegrijnse dorpje.

De reis van de vrouwloze chauffeur en de pruikloze passagier gaat verder. De regen is opgehouden. Straat 886. Het einde lijkt in zicht voor Emily. Hoewel: begin, einde en alles wat daartussen ligt, telt voor haar niet meer. Dat is bij haar in de staafmixer gegaan. Een dampend prakje. Ik zou er goud voor geven om dat in mijn hersenpan te hebben.

De teller staat op 88,80 als ik stop in Straat 888. Wonderlijk toeval. Ik noem het bedrag en zeg dat we er zijn. Ze geeft geen sjoege. Wat had ik anders verwacht? Alleen maar muntjes heb ik in haar tas gezien, geen beurs. Misschien doet ze het er wel om, is dit haar truc om gratis te reizen. Je bent paranoïde, man. Omdat één vrouw je heeft belazerd, hangt nu de hele wereld van bedrog aan elkaar. Je bent pathetisch. Dat zei Liz. Zei ze toen ik met mijn vuist tegen de muur sloeg.

'We zijn er', zeg ik nog eens.

'We zijn er', papegaait Emily.

Best mogelijk dat ze hier helemaal niet woont, dat ze helemaal niet Emily Brodovic heet. Dat ze dat adresboekje gewoon op straat heeft gevonden. Ik stap uit en open ook het achterportier. Bied haar mijn arm aan. Ze pakt mijn hand vast.

Ik trek het mutsje over haar kale hoofd en samen schuifelen we naar de ingang van de flat. Aan mijn ene arm hangt een vrouw, aan de andere een tas – in allebei is het een puinhoop. De deur tussen de buitenwereld en de hal is uit het kozijn gesloopt. Dat schiet alvast op. In de hal stinkt het naar urine. Op de vloer liggen kranten en sigarettenpeuken. Het bellenpaneel is een beschadigd mozaïek van plakbandjes, papiertjes, lettertypes, doorgestreepte namen en messing knopjes. Godlof, naast nummer 2214 hangt een onbeschadigd naamkadertje met daarin onberispelijke drukletters die vermelden: FAM. BRODOVIC. Nu nog verifiëren of de vrouw die gedwee naast me staat ook correspondeert met de ingezetene van desbetreffend huisnummer.

Ik houd het knopje minstens tien seconden ingedrukt. Liz had me niet horen binnenkomen. Ze had me ook niet verwacht natuurlijk, normaal duurde mijn dienst tot vier uur in de ochtend. Ik druk nog eens, nu een paar keer kort achter elkaar. Er brandde nog licht in de slaapkamer, een citroenkleurige streep tussen deur en drempel. Er klinkt geruis, gekraak. Een mannenstem. Onverstaanbaar, maar duidelijk geïrriteerd.

'Meneer Brodovic,' zeg ik in het intercomroostertje, 'ik heb hier uw vrouw. Emily. Ik kom haar thuisbrengen.'

'Wat? Emily?'

'Emily, ja. Uw vrouw.'

'Emily... o, is het waar? Emily! Goddank. Maar natuurlijk, komt u verder, komt u naar boven. Het is de achtste verdieping.'

Een deur van gewapend glas begint te zoemen. Ik laat Emily voorgaan – eens een gentleman, altijd een gentleman. Het lampje van de lift is kapot maar er komt geluid uit de schacht, de kooi lijkt nog te functioneren. Met zachte dwang duw ik Emily naar binnen. De hele lift is volgekrabbeld met allerlei variaties van pik en kut, zowel in woord als in beeld.

'Nog even en dan bent u er', zeg ik ter geruststelling. Ze knijpt minstens zo hard in mijn arm als Liz dat vannacht deed.

Als de lift nu blijft hangen, word ik gek. Dan zal ik moeten proberen mezelf te wurgen met de hengsels van Emily's tas. Stilstand is fataal. Dan kan de hele nachtelijke misère bezinken, zwart poeder op mijn hersenkwabben. Ik moet in beweging blijven, voortdurend door elkaar geschud worden. Een gestage stroom prikkels van buitenaf om de axonen en dendrieten bezig te houden.

Met een schok komt de lift tot stilstand. De stalen deur knarst maar biedt geen noemenswaardige tegenstand. Dat

is ook weleens prettig, dat de dingen meeveren met je verlangens.

Meneer Brodovic staat ons al op te wachten. Hij draagt
pantoffels en hij heeft een beetje meer hoofdhaar dan zijn
echtgenote.

'Wat doe jij hier?' is het eerste wat Emily Brodovic tegen
haar man zegt.

Hij neemt haar in zijn armen en mompelt iets in een taal
die ik niet versta. Misschien heeft hij wel gezegd dat hij van
haar houdt. Wat ik hooguit uit mijn bek kreeg als ik was
klaargekomen. Onder hoge druk eruit geperst, zogezegd.
Achter het masker 'ik hou van jou' schuilt 'ik ben bang voor
de dood'. Dat heb ik weleens tegen Liz gezegd toen ze me
vroeg waarom ik zo spaarzaam was met die simpele lief-
desverklaring. Pathetisch. Laffe larie. Wat een idioot was ik
toch.

Terwijl hij zijn vrouw vertederd vasthoudt, komt meneer
Brodovic ter zake. Kennelijk kan zoiets tegelijkertijd. Waar
ik haar heb gevonden, dat ze beginnende alzheimer heeft,
of ze meegaand was, dat ze zich zeker niet meer herinner-
de waar ze woont, dat hij al de politie had gebeld, hoeveel hij
mij verschuldigd is.

Ik vertel hem dat ze de helderheid van geest bezat een taxi
aan te houden maar dat ze daarna een beetje de weg kwijt-
raakte. 'En wat betreft de ritprijs... laat maar zitten. Mevrouw was uitstekend gezelschap, dat is ook wat waard.'

Hij protesteert niet en dat zegt genoeg. Als je hier woont,
is een buskaartje naar het stadscentrum al een onverant-
woorde uitgave.

Gearmd sloft het paar naar de voordeur van hun woning.
Vlak voordat ze naar binnen gaan, kijkt Emily nog even
over haar schouder. Ze geeft me een vette knipoog.

De taxichauffeur ziet het echtpaar verdwijnen achter de voordeur. Niet eens een glimp vangt hij op van het interieur. Het driekamerappartement oogt als een opslagplaats voor gevonden voorwerpen. De inboedel is een samenraapsel van uitgediende en vermoeide meubels uit diverse decennia. Naast een divan met doorgezakte ribfluwelen zitkussens (jaren zeventig) staat bijvoorbeeld een jugendstillamp, voorovergebogen boven een met schroeiplekken verminkte kelim (van onbestemde leeftijd). Aan de andere kant van de divan torst een tafeltje (nep-empire) een waterkaraf, een gebarsten glas, een dozijn pillenflesjes en een asbak met een brandstapel van verkoolde lucifers, dadelpitten en sigarettenpeuken. Ook op het imitatiemarmeren blad van de salontafel staat een overvolle asbak, een afvalberg omringd door wolkenkrabbers van uiteenlopende hoogte: misdaadromans, kranten, speelkaarten, grammofoonplaathoezen, zwartwitfoto's met een gekartelde witte rand. Op dit volgebouwde perceel was kennelijk geen plek meer voor het schaakbord: dat bevindt zich op een armleuning van de divan, waar het een wankel evenwicht bewaart voor het danig uitgekamde speelveld. Van de geëlimineerde schaakstukken ontbreekt elk spoor.

Nog altijd staart de taxichauffeur naar de dichte voordeur, alsof hij verwacht dat die aanstonds zal openzwaaien.

Onder de salontafel een kattenbak. Op de rest van de vloer objecten die je daar doorgaans niet aantreft: onder meer sinaasappelschillen, drukstrippen, flessen met zelfgestookte brandewijn, een met krassen bezaaide grammofoonplaat van Janáček, medicijndoosjes en opnieuw hoog gestapelde whodunits, op het punt van instorten.

In de slaapkamer een vergelijkbare wanorde. Het matrimoniale bed zucht onder de last van geborduurde kussens, paardendekens, poppen, een gehaakte sprei en een weldoorvoede poes. Boven de sponde hangt een grote vergeelde foto van een bruidspaar waarvan de mannelijke helft een kapiteinsuniform en een imposante snor draagt. Op het nachtkastje ter linkerzijde van het bed staat een schoteltje met een aangebeten stuk maanzaadcake naast een gedeukte wekker.

Emily Brodovic staat in het gangetje en houdt een zwart bakelieten telefoon vast alsof het de poes is. Ze jammert: 'Waar is hij nou, mijn zoon, mijn verloren zoon? Net was je er nog, heb je je soms verstopt, schavuit?'

Haar echtgenoot hoort haar niet omdat hij zich in de badkamer bevindt. Daar liggen handdoeken en wattenstaafjes op de tegels. Op het planchet boven de wasbak troont een versteende scheerkwast terzijde van een met oud water gevuld glas waarin een kunstgebit drijft als een gevangen krab. In de closetpot dobbert eveneens een en ander: een tandenstoker, haren en resten van uitwerpselen. Plotseling kolkt het afval rond in de porseleinen bak. Meneer Brodovic sloft naar het gangetje en aan de andere kant van de voordeur sjokt de taxichauffeur naar de lift.

12:40 UUR

Mijn taxi is nog intact. Niks lek geprikte banden of gesloopte spiegeltjes. Misschien wel dankzij de man die als een wachter bij de wagen staat. Zijn huid is zwart, evenals de hoed op zijn hoofd en het koffertje in zijn hand. Om elke vinger zit een ring.

'Ik naar Paardenstraat. Jij mij brengen.'

Uiteraard. Dat kan er ook nog wel bij. Een stripfiguur. Mij best, hoe ongeloofwaardiger de werkelijkheid wordt, hoe beter. Uiteindelijk zal alles verzonnen blijken te zijn. Vanaf het moment waarop ik vannacht thuiskwam tot en met de laatste rit van deze dienst.

Hij wil instappen maar ik houd hem tegen. Eerst die smeerboel een beetje opruimen. De 3399 zeult al genoeg zooi mee, daar hoeven niet ook nog de pootafdrukken van een zwerfhond bij. Op de achterbank ligt een klokhuis. Relikwie van een vrouw wier hoofd een relikwieënkastje is.

Als ik de taxi uit kom, zie ik een bot. Preciezer: een botje. Het hangt aan de hals van de zwarte man. Misschien ook wel een relikwie, of een amulet. De man neemt zijn hoed af en kruipt de wagen in. Ik sluit het achterportier en gooi het klokhuis weg. Voor de kakkerlakken en de ratten.

Daar ga ik dan weer. Voortvluchtig maar zonder inspraak in de te volgen richting – dat mag een onbekende op de achterbank bepalen. De tank is nog halfvol, verklikt de benzinemeter. Hopelijk heeft deze klant wel geld bij zich, anders kan ik een en ander straks niet meer verantwoorden. Ha, hoor mij eens. Dat is wel het laatste waar je je druk over hoeft te maken. Dat stadium ben je toch al lang voorbij, beste kerel.

'Wie hier zijn?'

'Wat?'

'Wie hier eerder zijn?'

'O, een vrouw. Een demente vrouw. Een vrouw die haar verstand kwijt is.'

'Hier ruikt naar kapotte wonden.'

De weg wordt hobbelig, gaten in het asfalt. Dat zijn nog eens wonden, beste man. Iets verderop, daar waar het asfalt overgaat in steenslag, fietst een jongen op een mountainbike, capuchon over zijn hoofd. Hij slipt, wit stof dwarrelt omhoog. Ik zit nu vlak achter hem maar hij blijft zijn kunstje doen. Telkens schiet het achterwiel weg en komt de fiets loodrecht op de rijrichting te staan. Ik druk op de claxon en hoor Liz kermen, nee, kreunen, kermkreunen, wanneer ik op dat plekje tussen haar schouderbladen drukte, dat vond ze ontzettend lekker, supergeil in haar eigen woorden. De gebroken stenen ratelen tegen de onderkant van de wagen aan. De jongen gaat niet aan de kant, knijpt opnieuw in zijn remmen. Van die banden blijft niks over.

Bij het geratel en geknars voegt zich nu getrommel. Het lijkt uit de wagen zelf te komen. Godverdomme, is dat soms... Ik draai mijn hoofd en word meteen gerustgesteld. Mijn klant heeft het koffertje op zijn knieën gelegd en trommelt erop met zijn glinsterende vingers. Zijn ene oog is bloeddoorlopen en visionair, het andere afwezig, een doorzichtige knikker. Ook Liz had twee ogen vannacht: een gelovig oog en een ketters oog. Het ene bad om vergeving, het andere spotte erop los.

Het kabaal houdt abrupt op – we hebben weer een gelijkmatig wegdek onder ons. De jongen op de mountainbike gaat aan de kant, ook de trommelaar geeft het op. Links rijst de messenfabriek op te midden van een schoorstenenwoud. Inmiddels buiten bedrijf. Daar werden ooit zowel broodmessen als hartsvangers gemaakt. Hartsvanger, vreemd woord eigenlijk voor een mes dat ooit bedoeld was voor de hertenjacht. Alleen in piratenfilms zie je zo'n ding nog weleens. Ideaal om een zeiltouw door te snijden of je vijand mee te scalperen.

Ik sla rechtsaf, kijk over mijn schouder of de mountainbiker er niet al komt aangeracet. Vanuit mijn ooghoek zie ik dat de zwarte man mij ziet met zijn tweesnijdende ogen.

'Jouw mond ziek.'

'Wat? O, dat. Dat is een koortslip. Die komt soms opzetten bij stress.'

'Nee, geen stress. Zijn woorden. Zijn woorden die jouw mond kapotmaken. Jij slechte woorden gezegd.'

'Ik wat? Heb ik gevloekt? Wanneer dan? Nee, die koortslip heb ik te danken aan een Spaans meisje. Mee gezoend op vakantie toen ik nog een puber was. Daar kom je nooit meer van af. Wat je noemt een vakantiesouvenir, haha.'

'Ik jujuman, toverdokter. Ik weten. Jij zieke mond, zieke man.' Als ik dit zo'n vier maanden geleden of eerder had gehoord, zou ik denken een gek in de auto te hebben. Een toverdokter in deze stad! Maar Liz vertelde me van een collega die een reportage had gemaakt over Afrikaanse gebedsgenezers, duiveluitdrijvers en voodoopriesters die actief waren in de stad. Zwarte magie, zuiveringsceremonies, offerrituelen. Naar het schijnt een groeimarkt. Mannen met liefdesverdriet die zich moeten wassen met een wondermiddel; bankovervallers die hetzelfde doen om geluk af te dwingen. Kinderen die worden onthoofd om familieproblemen op te lossen. Urenlange martelingen met hamers en schroevendraaiers om boze geesten te verdrijven. Met mensenbloed gevulde blikjes die op een altaar worden gezet als drank voor de voorvadergeesten. Ogen waarin pepers worden gewreven om de duivel te verjagen.

Dat bot om zijn hals. Heeft hij dat soms via een offer verkregen? Is dat het sleutelbeen van een kind? En dat koffertje, zou dat volgepropt zijn met martelwerktuigen? Ik heb ineens verdomd veel zin om het gazon te maaien, mijn overhemden op te vouwen, cappuccino te maken. Naar huis te gaan, kortom. Wat dus niet kan. Omdat de duivel daar woont.

'Taxi ook ziek. Taxi heel ziek.'

'Ja, ja, die heeft zijn beste tijd gehad, daarin heeft u gelijk. Al bijna driehonderdduizend op de teller. Maar toch... onverwoestbaar. Nou ja, zo goed als. Even afkloppen, want anders zakt-ie zo dadelijk nog door z'n hoeven.'

'Taxi geen taxi.'

Oké, man, wat je wil. Maar je begint me wel een beetje op de zenuwen te werken met je abracadabra. Je zit wat al te opzichtig te hengelen naar een nieuwe klus. Schijnt goed te betalen, die hekserij. Maar mij kun je niet genezen want ik geloof nergens in.

'Als de taxi geen taxi is, dan snap ik niet wat je in mijn wagen doet. Waar ga je trouwens heen, naar zo'n plek zeker waar ze bloed drinken en zo? Stelletje mafketels zijn jullie.' Ik praat als een echte taxichauffeur. Ongelooflijk, dat ik dit nog mag meemaken.

'Jij niks begrijpt. Niks. Ik ben Mungoma, ik jouw kop kunnen lezen, ik jou helpen. Hier in koffer Dolosse. Heilige stenen acht, schelpen vijfentwintig, en kleine bot twee van schildpad, krokodil, varken, geit, aap. Jij mij naam geven, ik Dolosse gooien en jij blazen in zakje Dolosse. Dan ik zeg jou wat mis is.'

'En dat bot om je hals? Hoe kom je daar aan? Ik heb gehoord dat jullie toverdokters kinderen offeren.'

'Jij tong twee keer hebben. Dubbele tong. Tong vast, tong los. Tong niet van jou, niet goed. Tong moet weg.'

Ik grinnik. Enig psychologisch inzicht kun je hem niet ontzeggen. Hij heeft door dat ik niet als mezelf spreek maar met de ruwe tongval van een doorsnee taxichauffeur.

Achter me klinkt geklak. Eens kijken wat de binnenspiegel rapporteert. Aha, hij heeft zijn koffertje geopend. Achter mij, altijd achter mij, achter mijn rug, daar zitten ze met hun elektronische speeltjes en hun glimlachjes, met hun voorvocht en achterdocht, hun afgebrokkelde nagels en glanzende tassen, daar zitten ze te konkelen en te smiespelen, te zweten in hun overhemden en te bloeden in hun onderbroekjes. En nu zit daar dan iemand met krokodillenbotjes en heilige steentjes en andere krankzinnige parafernalia. Gekker kan het niet worden. Gekker kan ik niet worden. Of wel? Ik met mijn twee tongen, de een in mijn mond, de ander... Hoeveel tongen had Liz wel niet op het laatst? En ik die dacht dat ik bij haar hoorde zoals een 120 mm-granaat in een AM 50-mortier past. Ridicule vergelijking. Elke vrouw is een blindganger. Absurde beeldspraak. Maar wel waar. Absurd maar waar. Absurd dus waar.

'Wat is jouw naam?' Dat is kennelijk een zin die hij vaker heeft uitgesproken. De eerste grammaticaal correcte zin van mijn vriend de toverdokter.

'Mijn naam doet er niet toe. Ik ben taxichauffeur, onderdeel van maatschappij Tatax, nummer drieduizenddriehonderdnegenennegentig. Meer hoef je niet van me te weten.'

'Jij bang. Bange man. Jij te zwaar, ik jou kunnen licht maken. Met Dolosse.'

Dat met bloed doorklonterde oog van hem heeft meer gezien dan me lief is. Liz vond me ook bang. Bang om ja te zeggen. Ja, ik wil. De laatste keer dat ik erin slaagde dat uit te spreken, was waarschijnlijk met mijn huwelijk. En daarna schoot ik weer in de provisorische modus. Hoe noemde die schrijver dat ook alweer? Eeuwig je oordeel opschorten, of zoiets. Niks aan je borst drukken want wat je in je handen houdt, zou weleens een slang kunnen zijn. Bange man. Maar net zoals de meeste mensen kon Liz alleen maar zeker van haar zaak zijn door niet te diep op de dingen in te gaan. Door urenlang aan haar haar te frunniken en zichzelf te omringen met tientallen jurkjes en vestjes en bloesjes. Terwijl ze in haar werk als journaliste wél in de beerput durfde te springen om een of andere smerige waarheid op te dreggen. Maar als het om haar eigen leven ging... Wie is er dan bang hier? Thuis wilde ze niet aan het wankelen gebracht worden, wilde ze rust en regelmaat, kusjes en knuffels. Maar telkens was daar die man die zijn armen kruiste in plaats van ze te spreiden. Die ho zei en halt. Die twijfel in haar zaaide omdat hij zich nooit werkelijk uitsprak, nooit een pact met wat of wie dan ook wilde sluiten. Ik reed rond in mijn taxi en dat was het dan.

Dat wil zeggen: ik reed mensen rond in mijn taxi en daarna keerde ik terug naar de vrouw die mij al lang had verlaten. Blindelings keerde ik terug. Maandenlang.

We zitten inmiddels op de breedste weg van de stad. De Atoomstraat. Ik zou nu op volle snelheid kunnen keren zodat dat hele kermisgoed van de toverdokter door de auto vliegt. Beentjes en steentjes, stukjes schildpad en schelpjes, wierookstaafjes en salietakjes, een zakje van springbokvel, een matje van apenhaar, een nijptang, dubieuze drankjes enzovoort. Ben benieuwd wat-ie dan te melden heeft. Ik laat me toch zeker niet de maat nemen door zo'n kwakzalver, verdomme.

Ik hoor hoe hij het koffertje sluit. Met zijn beringde vingers. Alsof hij begrepen heeft dat met mij niet te sollen valt. Ga jij maar naar de Paardenstraat met je santenkraam, jongen. Om iemands verrotte ziel te lezen. Maar van die van mij blijf je af.

Aan het eind van de Atoomstraat staat het vast. Normaal gesproken stroomt het daar goed door. Misschien een verkeersagent die gemeend heeft de baas te moeten spelen op dat kruispunt. Als die zich ermee gaan bemoeien, wordt het altijd een puinhoop. Orde op zaken willen stellen maar ondertussen chaos scheppen. Omdat de wil in essentie richtingloos is, geen dressuur verdraagt. Willoos willen zijn, dat is het beste. Nummer drieduizenddriehonderdnegenennegentig zijn en doen wat je gezegd wordt. Voorbij het licht rijden, daar waar je een schim bent, daar waar je er geweest bent. Dat gij niet meer wandelt, gelijk als de andere heidenen wandelen in de ijdelheid huns gemoeds, verduisterd in het verstand, vervreemd zijnde van het leven Gods, door de onwetendheid die in hen is.

We staan stil. Ergens wordt er gebruld. Een onverstaanbare boodschap, elektrisch of mechanisch verstrekt. Mensen die wat willen. Die willen dat iets ophoudt. Wie wil dat niet? Daar komen ze. Ze houden hun spandoeken vast alsof het de zeilen van een schip in nood zijn. Een schip dat op een ramp afstevent. Ze zijn alvast in het zwart gekleed, voor het geval het misgaat. Op een van de spandoeken staat BLOKKEER DE UITBUITING. Onbegonnen werk, zou ik zeggen. Dan moet je achter elke willekeurige deur gaan kijken. Dan krijg je Big Brother-achtige toestanden en totalitaire maatregelen, en ik neem aan dat deze demonstranten daar niet van gediend zijn. Ze protesteren dus voor iets waar ze in de grond van de zaak tegen zijn. Ik schold haar uit om haar mild te stemmen. Ik sloeg het telefoontje uit haar hand om contact met haar te krijgen. Onbegonnen werk, en toch ging ik ermee door.

Een motoragent rijdt langs. Hij kijkt even mijn kant op. Hier valt niks te bekeuren, vriend. Hier zit hooguit een rituele moordenaar op de achterbank en een gebroken man achter het stuur. En in mijn hoofd bevindt zich misschien wat clandestien stortgoed, maar daar heeft je boeteformulier vast geen nummertje of hokje voor.

Ik zou kunnen uitstappen om me bij die doodgraversstoet te voegen. Meebrullen tegen de uitbuiting. Me committeren, zoals Liz het graag zag. En de taxi aan de toverdokter laten. De zieke taxi. Dan kan hij 'm in brand steken, reinigen van het kwaad.

Voor me beginnen ze echter alweer te rijden. De ordeverstoring is voorbij, de demonstranten hebben trek in koffie. Je moet prioriteiten stellen in het leven. Eerst een bakkie troost, dan de wereld verbeteren. Zei de moegestreden cynicus, de man die het liefst in tranen zou uitbarsten, ware het niet dat hij het janken geheel verleerd is.

'Jij een vrouw hebben?'

'Of ik een vrouw wil hebben?' Wat krijgen we nou, verdient onze toverdokter ook nog een centje bij als pooier?

'Nee. Jij hebben vrouw?'

'Ja. Nee. Gehad. Vrouw gehad. Voltooid deelwoord van hebben. Ooit. Verleden tijd, snap je?'

'Niet meer van jou?'

'Jawel. Ik bedoel: nee. Niet meer, nee. Van andere man nu. Mijn vrouw was klaar met mij. Vond mij niet meer leuk. Niet meer leuk genoeg. En jij? Heb jij een vrouw? Meer dan eentje, zeker. Vertel mij wat, jullie toverdokters houden er een hele harem op na.'

'Jij geen vrouw meer omdat jij bang.' Begint-ie weer met z'n gezeik. 'Jij bang van gevoel. Gevoel gevaarlijk voor jou is wat jij denken. Maar denken is gevaarlijk. Jij alleen maar denken. Met denken gevoel dood maken. En vrouw.'

Aldus de zwarte heelmeester. Briljante diagnose. En de oplossing? Misschien kunnen we mijn ringvingers eraf snijden en een soepje koken van de kootjes. En dan die soep drinken. Om de demonen in mij te verdoven. De denkdemonen. Om de voelsprieten in mij te prikkelen. Ik haal een tractor in. Een boer die de weg kwijt is. Die mest voor het gemeentehuis gaat uitstrooien omdat zijn land dreigt te worden onteigend. Voor een nieuwe snelweg of een megasupermarkt. Ik wring me tussen de tractor en een stadsbus. De belletjesman maakt een narrig sprongetje voor mijn ogen. Ik ben omringd door narren. De nar die zich heeft verhangen aan de achteruitkijkspiegel en de nar op de achterbank. De zwarte nar. Al dat ijzer aan zijn poten – misschien zijn het wel geen ringen maar boksbeugels. Slaat-ie z'n patiënten in elkaar om de duivel uit hen te verjagen.

De bus slaat rechtsaf, er ontstaat ruimte. De weg is weer te zien en op die weg ligt iets. Ik neem aan dat ik dadelijk zal zien wat het is. Ondertussen heb ik de toverdokter nog altijd niet geantwoord. Of was dat niet de bedoeling? Zoals je een arts niets meer te zeggen hebt nadat hij je heeft verteld dat je aan terminale kanker lijdt. Het is een platgereden duif. Die zal de boel niet meer kunnen onderschijten. Misschien is mijn toverdokter geïnteresseerd in zijn botjes.

Ik rijd over de dode duif heen.

Het is de toverdokter ontgaan. Hij weet van niks. En toch hebben de mensen behoefte aan dit soort jokers. De vraag naar schijnoplossingen schijnt immers te groeien. Nu de aandelenmarkt is ingestort, de waarde van huis en haard onder onze kont vandaan verdampt, de grondstoffen opraken, ons zuurverdiende pensioentje elk jaar verder afkalft, verwelkomen we de goocheltrucs van gebedsgenezers, sjamanen, reiki-meesters, polyenergetische therapeuten en andere magiërs. De behoefte om belazerd te worden is onuitroeibaar. Hoe lang is dit al aan de gang, vroeg ik. Zelfs de hulpverleners besodemieteren de boel. Daar was Liz in gedoken, wilde ze een reportage aan wijden – grootscheepse zwendel in de zorgverleningsindustrie. Zij die ons dienen te helpen, beduvelen ons. Uitgerekend zij op wie wij vertrouwen, steken een mes in onze rug. Natuurlijk zij – want het best van iedereen weten zij waar onze zwakke plek zit.

Hoe lang houd ik dit nog vol? Deze poppenkast. Deze janklaassen achter het stuur op zoek naar Katrijn terwijl die al lang... Jan Klaassen en de twee narren. De dansnar en de dokternar. De raaskallende dokternar. Alsof denken en voelen elkaars tegenpolen zijn – belachelijk gewoonweg. Je kunt pas weten wat je voelt dankzij je hersenen, doordat het denken wordt ingeschakeld. Die gast denkt met zijn vingertoppen en ik voel met mijn hersenschors. Ik voel hoe daar al urenlang steeds weer een naam in wordt gekerfd. Een naam en een hartje. En een pijltje dat het hartje doorboort. Links van het pijltje, bij de punt, de naam. De naam die steeds opnieuw in de schors wordt gekrast omdat hij telkens weer verbrokkelt. En aan het andere uiteinde van de pijl bevindt zich eveneens een naam. Maar die naam is doorgekrast. Die naam blijft doorgekrast.

Ik kan natuurlijk ook het gaspedaal tot op de bodem intrappen en tegen die muur daar aanknallen zodat de taxi een verkreukeld pakketje wordt en ik in de kofferbak terechtkom. In de kofferbak bij de gevarendriehoek, het reservewiel en nog zowat – gezellig toch? Vooralsnog voorzie ik in mijn levensonderhoud als taxichauffeur. Met handen en voeten. Handen aan een rad. Het rad van fortuin. Zolang je daaraan blijft draaien, is het spel nog niet verloren. Handen aan hendeltjes. Zolang je die aanraakt, is er richting. En de voeten die op de pedalen tapdansen. Boordevol gevoel zitten mijn handen en voeten, beste toverdokter. Mijn handen rond haar hals. Het steeds zachter borrelende bloed in de slagader. De glimlachende lippen die bleekblauw worden. Een beetje wurgseks op z'n tijd, daar hield ze van. Exact op tijd je greep verslappen. Niet te vroeg (dat doodt de opwinding) en niet te laat (dat windt de dood op). Hoe lang is dit al aan de gang, vroeg je en terwijl je het vroeg zag je handen rond haar hals, andermans handen, en vroeg je je af of ze dat met die ander ook deed, dat soort gevaarlijke en geile spelletjes, spelletjes waarvoor je elkaar goed moet kennen, heel goed moet weten waar de grenzen liggen en de mogelijkheden, waar het kookpunt ligt, waar het vriespunt begint.

De Stroomstraat. Met – niet geheel verrassend – het Gemeentelijk Stroomleveringsbedrijf. Een paar vensters zijn kapot. Afgelopen nacht ingegooid waarschijnlijk. Je vernam hoe lang het al aan de gang was en tegelijkertijd vloog er een steen door een ruit van het Gemeentelijk Stroomleveringsbedrijf. In het holst van de nacht. Pure baldadigheid, of verveling. Of onvrede. Wraak misschien – omdat de stroom van het huis van de stenengooier was afgesloten. Terecht of onterecht? Een vergissing of een logische consequentie? Een halfjaar was het al aan de gang. Een halfjaar werden er stenen naar mij gegooid zonder dat ik het doorhad. Zonder dat ik ze voelde. Terwijl ik precies meende te weten waar het vriespunt begon, wanneer ik mijn greep moest verslappen. Maar ik had het niet aangevoeld. Jij bang voor gevoel. Niet voorvoeld. Omdat dat het enige was waaraan ik niet twijfelde: mijn verbond met Liz. Met denken gevoel dood maken. Moet ik de jujuman dan toch van repliek dienen?

Ik haal mijn voet van het gaspedaal. De opwaartse beweging maakt me weer bewust van het ding in mijn broekzak. Het is zowat vergroeid met de stof. Je zult het moeten lossnijden. En er dan naalden in steken, er spijkers in drijven. Het monddood maken. Het offeren voor de vergetelheidsgeesten.

'Kun jij vrouwen terugtoveren? Zit liefdesverdriet ook in je basispakket?' vraagt iemand in mij. Iemand die van binnenuit mijn lippen uiteenduwt en woorden als propjes papier naar buiten schiet. Iemand die ik al lang niet meer ben.

Een antwoord blijft uit. Zoals je ook vannacht aanvankelijk geen antwoord kreeg. Verzegelde lippen. Omdat bepaalde woorden gif bevatten en bijgevolg weggesloten dienen te blijven. Maar je drong aan, je wist niet meer waar jullie grenzen lagen, je sloeg het telefoontje uit haar hand. In het holst van de nacht. En ineens wees de pijl een andere richting uit. De liefdespijl bleek een gifpijl. De pijl van Cupido was de pijl van Mars. Dwars door het hart. En de gevoelloze voelde weer. Een wonder was geschied.

De toverdokter kan niet antwoorden omdat hij slaapt. Verzegelde ogen. De doorzichtige knikker en de bloeddoorlopen globe gaan schuil achter zwarte luikjes. Geprezen zijn zij die kunnen slapen.

Het regent nu al zeker een kwartier niet meer. De lucht is koffiekleurig. Hoogst onwaarschijnlijk dat die toestand vandaag nog zal veranderen. Dat het openbreekt. Meer regen is voorspeld. Mijn ruitenwissers zijn aan vervanging toe. Hun eigenaar ook. Zieke taxi, zieke man.

Snurken doet de toverdokter niet. Hij maakt sowieso geen geluid. Misschien is hij wel dood. Wat zegt de binnenspiegel? De binnenspiegel zegt dat hij leeft. Maar de binnenspiegel liegt. Hij trilt zodat het lijkt alsof de toverdokter beweegt. En de binnenspiegel beweert dat de man niet zwart is maar groen. Het groen van diabaas, van groensteen. Stollingsgesteente. Uitbarstingsgesteente. Wat tot uitbarsting komt, zal uiteindelijk ook stollen.

De Slachthuisstraat. Die uitmondt in de Paardenstraat. Welke idioot heeft dat bedacht? Er zijn plannen om in het oude slachthuis een discotheek te vestigen. Voorlopig staat het te verkrotten. Zelfs de planken waarmee ze de deuren hebben dichtgetimmerd, zijn vermolmd. Het oude slachthuis werd te klein. Aan de ringweg is een gloednieuw complex verrezen, voorzien van de meest geavanceerde slachtinstrumenten. Geen hartsvangers meer maar karkassplijtzagen, hydraulische kniptangen en roestvrij stalen afhuidmessen. Naar het schijnt, komen de slachters tegenwoordig handen te kort om het aantal ter dood veroordeelde paarden te verwerken. Niet zozeer door dat virus waarover die ene klant het zo'n twee uur geleden had, maar omdat er sprake is van een paardenoverschot. Mensen die blindelings een paard kopen op internet en dan teleurgesteld zijn. Het paard voldoet niet, wordt doorverkocht. Wordt nog eens doorverkocht en nog eens. Belandt uiteindelijk bij het slachthuis. Niet omdat het oud en versleten is maar omdat niemand het nog wil. Weet ik van Liz. Liz die altijd alles het eerst wist. Liz die iets zelf had uitgezocht of het van haar collega's had gehoord. Is het soms een collega van haar? Met een kopschot wordt zo'n paard meestal omgelegd. Een kopschot is het eerlijkst, zei Liz. Een halfjaar was het al aan de gang. Omdat ze mij niet meer wilde. Riblappen en pantoffels en toupets halen ze uit zo'n geslacht paard. Of ze maken een zweep van het paardenhaar. Een sm-zweep. Een zweep om een uitgebluste relatie weer te doen ontbranden. De laatste tijd zijn we getuige van een explosieve groei van schijnoplossingen en paardenkadavers. Vanwege ontevredenheid met de huidige situatie. Omdat ze uitgekeken was op mij. Het aantal rituele offers en kopschoten neemt met de dag toe. De toverdokters en de slachters krijgen het steeds meer voor het zeggen.

In de Paardenstraat is geen auto te zien. Alsof oude tijden hier herleven, tijden waarin men zich te paard of in een koets voortbewoog. Toen er nog geen paarden konden worden doorverkocht op internet. Toen er nog geen liefdesverklaringen konden worden uitgewisseld met een geheime minnaar terwijl de wettige echtgenoot drie meter verderop een boek leest. Zo is het natuurlijk begonnen tussen haar en die gast, met sms'jes, met virtuele vrijages. Geen grenzen, alleen maar mogelijkheden. Niet een geregeld leven met vaste coördinaten maar een vuurspuwende draaitol die uitzinnig naar alle kanten toe schiet.

De toverdokter moet wakker worden. De toverdokter moet een getal noemen. Zodat ik weet waar ik aan toe ben, waar ik moet stoppen. Zijn naam weet ik niet. Nooit weet ik hun namen. Hun bestemming ken ik, hun naam niet. Liz wilde het niet zeggen. Zijn naam. De naam die mijn naam had uitgewist, doorgekrast. De naam die nu aan de andere kant van de pijl prijkt. De naam die zelf een pijl is. Een pijl die ik al urenlang probeer te verwijderen, probeer los te schudden. Hé jujuman, roep ik. Hé sjamaan. We zijn er, we zijn waar je zijn moet. Een doorzichtige knikker rolt tevoorschijn en ook het andere oog openbaart zich nu. Soms heb je door wat er achter je rug gebeurt. Dan werken de voelsprieten ineens perfect.

Het is op nummer achttien, krijg ik te horen. Op nummer achttien zal de toverdokter zijn toverkoffer openklappen en zijn toverbijl tevoorschijn toveren om een door de duivel bezeten kind te redden. Een kopschot is het eerlijkst. Maar een bijl is minstens zo effectief. Nadat je de smartphone uit haar handen had geslagen, smeet je hem tegen de muur. Waarmee je het corpus delicti vernietigde. Waarmee je honderden, misschien wel duizenden bewijsstukken uitvaagde, evenals zijn naam. Zodat je nu niks weet, niks begrijpt. Je hebt alleen maar je verbeelding. Je verbeelding die construeert noch reconstrueert, slechts als een karkassplijtzaag alles verpulvert.

Nummer achttien is een afroshop. Een supermarktje voor de zwarte medemens. Shit, die gast moet waarschijnlijk alleen maar wat boodschappen doen. Een offerritueel? Vergeet het maar, hij is er gewoon door moeder de vrouw op uit gestuurd om wat hairextensions te halen. Zodat moeder de vrouw thuis even haar eigen ding kan doen. Even kan skypen met haar minnaar. Op het scherm van de pc van haar echtgenoot kan zien hoe hij zijn lul uit zijn broek haalt. Dat wil zeggen de minnaar. De lul van de minnaar. Ruim vier centimeter langer dan die van de echtgenoot, en ook qua diameter aanzienlijk indrukwekkender. Wat krijgen we nou? Zonder te betalen is de toverdokter uitgestapt. Voordat ik actie kan ondernemen, staat hij al bij mijn raampje, de hoed weer op zijn hoofd.

In zijn rechterhand geldbiljetten, in zijn linkerhand een papiertje.

'Jij andere keer bij mij komen. Met taxi. Ik jou en taxi schoonmaken. Hier lezen wat ik kan.'

Een zwarte vinger met een zwarte nagelrand drukt op het papiertje. Ik knik en ik glimlach. Allebei tegelijk doe ik dat. Ik leg het papiertje op de stoel naast me, pak mijn kelnersportemonnee en stop er het geld in. Het klopt precies, geen cent te veel of te weinig. De toverdokter loopt weg, richting de winkel. Ik richt mijn blik op de passagiersstoel. Ik zie dat er woorden op het papiertje staan maar ze zijn te ver weg om gelezen te kunnen worden.

Het gebeurt in een reflex. Het gebeurde in een reflex. Ineens is het papiertje van de toverdokter weg. Voor zover ik het me kan herinneren, voor zover mijn geheugen me niet voorliegt, heb ik mijn klauw eromheen gesloten, het fijngeknepen, verfrommeld en weggeworpen. Ongelezen weggeworpen. Aan de boze buitenwereld geofferd.

In de winkel is van alles te koop. Er is een afdeling met cosme-tische producten, zoals kokosolie, moisturizers, conditioners, stylinggel en bodylotion op basis van colloïdaal zilver in een flacon van energetiserend violet glas. Je vindt er tevens een ruim assortiment natuurlijk en synthetisch haar, verkrijg-baar in verschillende kleuren, lengtes en structuren. Daaron-der niet alleen allerlei pruiken maar ook synthetische dreads en weaves in doorzichtige plastic zakjes.

In de schappen met de levensmiddelen tref je onder meer cacaoboter, kokosmelk, gemalen okra, cassavemeel, pilipili, varkensstaart en afslankkoffie aan. Daarnaast worden dran-ken verkocht als lycheesap, palmbier, guanabanasap en gin-gerbeer.

Uit de diepvries: soepkip, geit, catfish.

Bij de kassa: telefoonkaarten en kralen.

De man met de zwarte hoed koestert evenwel geen belang-stelling voor al deze producten. Hij stevent koersvast af op de afdeling Man Power, achter in de winkel. Daar pakt hij een zakje met stukjes en snippers hout. Het vuurrode opschrift vermeldt: ERECTIE WONDERTAKJES.

Bij de kassa aangekomen vraagt de man om een fles gin. 'Om de takjes in te doen', zegt hij haast verontschuldigend. De caissière buigt zich voorover en tast onder de kassa. Een fles met een transparante vloeistof komt tevoorschijn.

'Anders nog iets?' vraagt het meisje met een brede glim-lach.

13:06 UUR

Deze dag. Deze oorlogsdag. Dag van wapengekletter en bloedvergieten. Van ondraaglijk lijden. Maar deze frontsoldaat rukt verder op, ook al zijn de verliezen aanzienlijk. Immens zelfs. De centrale heeft hem opgeroepen en dus gaat deze soldaat verder. Tot hij erbij neervalt. Tot de kolder zijn hele kop heeft uitgehold. Tot de duivel mij haalt. Maar de duivel is lui. Hoe zeggen ze dat ook alweer? Ledigheid is des duivels oorkussen of zoiets. En daardoor blijft-ie voorlopig weg. Want om mij te achterhalen, daar moet je wel wat voor doen.

Nog altijd gehoorzamen mijn handen. Verbazingwekkend hoe standvastig ik ben. En hoe volgzaam het stuur is. Hoe lang nog? Hoe lang nog voordat de waarschuwingslampjes gaan flikkeren, de wijzers op tilt slaan, de pedalen onder me vandaan hollen? Voordat de ramen me gaan aanstaren en de versnellingspook van zich af slaat?

In wijk M, in de Universiteitsstraat, wacht men op mij. Men heeft mij nodig, ik heb hen nodig. Liz had mij niet meer nodig. Na elf jaar trouwe dienst mocht ik vertrekken. Elf jaar, waarvan het laatste halfjaar niet echt meetelt. Voor spek en bonen heb ik zes maanden lang geleefd. De journaliste die een loopje met de waarheid nam. En ik ondertussen maar rijden in die stomme taxi. Op goed geloof. Ik ondertussen maar de drieduizenddriehonderdnegenennegentig spelen. Blindelings. In dat land van haar, dat land dat niet van mij is. 'Liefdeloos, landloos, vrouwloos.' Het meisje van de centrale is ook best leuk. En ze zegt me welke kant ik op moet, ze behoedt me voor afdwalingen. Van afdwalen komt verdwalen. Van verdwalen komt... Naar wijk M moet ik. Waar de universiteit ligt. In plaats van een nieuwe studie te volgen leerde ik een plattegrond uit mijn hoofd. Mijn bul was hier niks waard. Er moest brood op de plank komen, Liz studeerde nog. Zo was het toch? De edelmoedige pief uithangen, dat wilde ik. Dat wilde deze idioot.

Op de stoep een sliert kerels met allemaal dezelfde petjes op. Vrijgezellentoestand. Waar is de gelukkige, de lulhannes die zich morgen aan de ketting laat leggen?

Omzwermd door scooters vervolg ik mijn weg. Vrijheid blijheid. Scooters blijken meer fijnstof uit te stoten dan vrachtwagens. Weet ik van Liz, die daar een artikel over schreef. Fijnstof veroorzaakt hart- en longproblemen. Hoe kleiner de deeltjes, hoe dieper ze het lichaam binnendringen. Met z'n tweeën gezellig op de scooter. Met name de fijnstofemissie van tweetaktmotoren is hoog. Met z'n tweeën gezellig op onze bank, Liz en die gast. Omdat tweetaktmotoren meer brandstof verbruiken per kilometer. Is het een collega van je, vroeg ik. Ook voor de automobilist is de fijnstofemissie van scooters schadelijk. Dat gaat je niet aan, zei ze. Omdat fijnstof niet kan verwaaien in de afgesloten ruimte van een auto. Shit happens.

Vier, vijf scooters rijden door het rood. Een van rechts komende bus moet afremmen. Vermanend getoeter. Waarom zo braaf? Waarom rijd jij ook niet door rood? Wat kan het je verdommen? Geef het maar toe, je verlangt iets of iemand op de motorkap. Een hert (het gewei verstrengeld met de ruitenwissers), een kind (de losgelaten ballon die blijft hangen aan het verlichte kroontje op het taxidak), een blinde (zijn stok die beschuldigend naar mijn voorhoofd wijst), een man met een dokterstas (de stethoscoop die door de voorruit heen het inwendige van de taxi beluistert). Ik verlang stremming. Ik verlang beperkt zicht. Dichte mist. Dat je kunt zeggen: ik weet van niks omdat ik er niet meer ben. Dat je kunt zeggen: ik ben het kwijt, de weg kwijt. Omdat Grietje de steentjes heeft. En Grietje... tja, Grietje is ook kwijt.

Weer in beweging. Wat langskomt, wat voorbijgaat. Aan mijn rechterhand een gehelmde vent op een scooter, aan mijn linkerhand een scooter met een jongen en een meisje zonder hoofddeksel. Wild wapperend haar. Het meisje aan het stuur, omarmd door de jongen. Misschien negeren zij dadelijk ook het stoplicht. Uit onverschilligheid. Uit arrogantie. Of omdat ze zich onsterfelijk wanen. Onaantastbaar. Ook mogelijk: dat ze geschept willen worden door een vrachtwagen, samen willen sterven, in innige omhelzing. Lekker romantisch. Beter dan in je wagen een zondags ritje maken met je vrouw naast je, je vrouw die dreigt te gaan kotsen omdat ze wagenziek is. O ja, als Liz mijn armen om haar heen voelde, was ze gelukkig. Waande ze zich onsterfelijk. Te weinig heb ik dat gedaan. Kennelijk. Terwijl het toch zo simpel was. Elke boerenlul kan dat. Maar dat is het 'm nou juist: ik wilde niet zomaar de eerste de beste boerenlul zijn. Ook al was ik maar een eenvoudig taxichauffeurtje.

Boven wijk M hangt een helikopter. Daar is wat aan de hand. Daar heeft een of andere doorgedraaide student het vuur geopend op een volle collegezaal. Uit onverschilligheid. Uit arrogantie. Of omdat hij zich God waant. Waarom, vroeg ik haar. Waarom doe je me dit aan? Hoe dieper de wond, des te bespottelijker de pogingen om 'm te stelpen. De gehelmde vent wijst naar zijn voorhoofd. Preciezer gezegd: zijn vinger tikt tegen de zwarte kap voor zijn gezicht. Heeftie het tegen mij? Oprotten met dat gore fijnstof van je! Liz hield het niet meer. De lucht van mijn wagen maakte haar misselijk. Ze rukte het dashboardkastje open en kotste erin.

Daar waar de Smith & Wesson lag. Daar waar mijn identiteitspapieren lagen. Drie keer, drie golven braaksel, en toen deed ze het kastje dicht. Alsof er niks gebeurd was. Alsof er niks gebeurd is. Zo rijd ik hier rond.

Dagenlang stonk het nog naar haar kots.

Weer een rood licht en weer stop ik. Een rood rondje heeft een groen mannetje tot gevolg. Misschien ben ik de enige taxichauffeur in deze stad die nog nooit door rood is gereden. Die het groene mannetje altijd in zijn waarde heeft gelaten. Niet sexy. Niet avontuurlijk. Ze wilde dat ik af en toe door rood reed, maar ze wilde ook dat ik haar groene mannetje was. Iemand op wie je je blindelings kunt verlaten en iemand die nu en dan een grens overschrijdt, iets onverantwoords doet. Om haar te kunnen behagen moet je een slangenbezweerder zijn, in staat zijn je in de meest onmogelijke bochten te wringen. Even behoedzaam als onverschrokken. Veiligheid biedend en toch roekeloos. Maar ik stopte voor het rood. Altijd stopte ik voor het rood. En ik reed pas verder zodra het groen was. Zoals nu.

Bij de faculteit voor Mens en Samenleving staat een stelletje te zwaaien. Mijn redders in de nood. Helm noch scooter bezitten zij. Lachend komen ze mijn taxi binnen. Pure vreugde. Die na verloop van tijd besmeurd raakt door bepaalde gewoonten, kleine irritaties, afwijkende voorkeuren, irreële eisen. Zoals het travertijn van de faculteitsgebouwen dat door verfbommetjes en spuitletters is ontsierd.

Ze willen naar de bowlingclub op het Gedachtenisplein. Voor mijn part. Plezier maken zolang het kan. Op zondag gingen Liz en ik vaak naar de bioscoop. Geen uitstapjes meer met de taxi om nieuwe kotspartijen te voorkomen. Volgens haar kwam het door al die verschillende mensen die in mijn wagen hadden gezeten, al die geuren en afscheidingen, dat gekrioel van anonieme bacteriën. Dat maakte haar misselijk. Soms huilde ze in het donker van de bioscoop. Dan pakte ik haar hand vast. Steevast klam was die hand.

Het haar van de jongen raakt bijna het dak, opgestuwd door gel. Chaos Look heet dat, geloof ik. Het meisje draagt een naveltruitje onder haar leren jack. Behalve aan wagenziekte leed Liz ook aan een navelfobie. Van haar navel wilde ze niks weten. Die mocht ik ook niet aanraken, onder geen beding. Als ik het per ongeluk toch deed, werd ze volkomen hysterisch. Haar hals mocht ik fijnknijpen tot ze bijna stikte, maar van haar navel moest ik afblijven.

De helikopter hangt er nog steeds. Een politieonderzoek? Met verrekijkers turen ze naar het kwaad. Naar het fijnstof van het kwaad. Hoe kleiner de deeltjes, hoe dieper ze het lichaam binnendringen. Liz ging het liefst naar romantische komedies en feelgoodfilms. Omdat ze in haar werk al genoeg ellende tegenkwam. Daarover hadden we een verschil van inzicht. Ik vond dat je het kwaad altijd in de bek moet durven kijken. Omdat het er steeds weer anders uitziet en elke nieuwe inspectie nieuwe feiten aan het licht kan brengen. Feiten die je niet uitsluitend dankzij journalistiek feitenonderzoek bovenhaalt maar ook met behulp van fictie, van speelfilms en romans dus.

Hierbinnen barst het van het fijnstof. En op de achterbank wordt gesmoezeld en gefoezeld. De verbindende factor is een smartphone. Uiteraard. Hun hoofden in de iCloud. Op Facebook heeft ze eindeloos gechat met die vent. Buiten mijn bereik. Hij online, ik offline. Misschien kijken de jongen en het meisje samen naar een pestfilmpje op YouTube. Nietsvermoedende jongeren die worden geslagen en tegelijkertijd gefilmd. *Happy slapping*. Fijnstofkwaad dat door de mazen van de censuur glipt. Hoor ze eens gniffelen, die twee. Klappen in het gezicht en op andere kwetsbare plaatsen. Je smeet haar smartphone tegen de muur nadat ze had bekend dat het sms'je van hem was. Van de feelgoodman.

In plaats van een feitenonderzoek te starten smeet je de smartphone stuk. Ook al haalt YouTube zo'n pestfilmpje weg, dan duikt het toch weer op andere locaties op. Blijkt het onmogelijk te zijn het definitief te verwijderen. Blijft het doorrotten.

Vaak moesten Liz en ik lachen en de rest van de bioscoopzaal niet. Overtuigend bewijs dat we bij elkaar hoorden, voor elkaar geschapen waren zogezegd. Maar Liz verlangde meer getuigenissen. Elke dag opnieuw wilde ze verklaard en gestaafd hebben dat ik haar duizelingwekkend mooi en lief en lekker en slim en bijzonderlijk bijzonder vond. Waaraan ik op den duur niet meer kon voldoen. Op een gegeven moment voel je je veilig en denk je dat het allemaal zo'n vaart niet meer zal lopen. Dan verslap je. Dan verslapt je aandacht. Dan ga je verder op de automatische piloot.

Het is pas vroeg in de middag en nu al donkert het. Een zwarte kap tussen mij en de stad. Een nieuwe stortbui hangt in de lucht. De mannen in de helikopter zullen niks meer kunnen zien. Opgesloten in een bewasemde glazen bol. De autoriteiten tasten in het duister, zoals dat heet. En ondertussen rijd ik hier onder nog onopgehelderde omstandigheden rond.

Ik zie, ik zie wat jullie niet zien. Ik zie de navel van het meisje. Ik zie de handen van de jongen. Handen die iets zoeken. Ik zie hoe de vingers van het meisje de smartphone betasten, razendsnel rondspringen. Ik zie hoe de jongen nu zijn eigen mobiele telefoon tevoorschijn haalt en eveneens begint te typen. Dat zie ik allemaal op het schermpje van mijn achteruitkijkspiegel, mijn webcam. Ik zie die twee daar zitten, naast elkaar en tegelijkertijd ver van de ander verwijderd.

Maar misschien zie ik het verkeerd. Zoals ik het ook de afgelopen zes maanden verkeerd heb gezien. Misschien sturen ze die sms'jes of pingberichten niet naar iemand anders, maar naar elkaar. Zodat ik niet kan waarnemen wat zich werkelijk tussen hen afspeelt. Ja, allicht zitten ze elkaar op te geilen met obscene koosnaampjes en pornografische scenario's. Buiten mijn bereik. Ik heb een nat kutje. Mijn pik is keihard en het liefst zou ik in je mond willen klaarkomen nu. Lekker ding van me, spuit me maar helemaal onder met je superlul. Ja, op je vet coole tieten. Keigezellig, ja! Dat soort teksten. Ter staving van hun verliefdheid. Dat heerlijk frisse en tegelijk bedwelmende gevoel van verliefdheid dat ze weer eens wilde ervaren. Zei Liz. Zei zij in antwoord op mijn waaromvraag. Waarnaar ze feitelijk al jarenlang had gesnakt. Dat overweldigende gevoel begeerd te worden, tot in alle uithoeken van je lichaam en je geest met verlangen volgepropt worden. Dat dus. Dat ze dat had gemist en nu weer terug had. Keigezellig ondergespoten willen worden door die gast, dat wilde ze. Die gast wiens naam ik niet ken. Elke boerenlul kan het zijn, de politieman in de helikopter evengoed als de man die nu de straat oversteekt.

Het neonlicht van een colareclame stroomt over, vloeit weg in het duister. Uitgelopen make-up. Althans, dat is zoals ik het zie door de beregende voorruit. Niet alleen in de bioscoop huilde ze. Ook gisteravond bijvoorbeeld. Daaraan ontleende ik hoop. Valse hoop. Of is dat een pleonasme? Dat gejank luidde geen verbetering van mijn toestand in, het was een slotakkoord. Het einde van een tijdperk, muzikaal omlijst. Of zie ik het allemaal te zwart? Is het gewoon een kwestie van de kap omhoogklappen en het allemaal wat helderder zien?

Op de achterbank neemt de onrust toe. Met één hand elkaar virtueel betasten, met de andere letterlijk contact hebben. Pingen en peuteren. *High-speed messaging.* Hoor ik daar een rits opengaan te midden van al die pinggeluidjes? Vanaf het dashboard glimlacht Liz me toe. 'Hé, die achterbank is geen matras! Die smeerlapperij doen jullie maar thuis, maar niet in mijn taxi. Niet op mijn grondgebied!'

Liz lacht en ook achter me wordt gegiecheld. Niet op mijn grondgebied – zei je dat echt? Gewoonweg belachelijk. Je hebt helemaal geen grondgebied. Zelfs die taxi is niet van jou. Zelfs dat stuur in je handen niet. De vrije wil? Vergeet het maar. Een hamster in een tredmolen, meer ben je niet als taxichauffeur. En thuis, daar waar je je heer en meester voelde? Ha, daar bevond zich iemand die geheime boodschappen verstuurde naar de vijand. Hogesnelheidsverraad. Maandenlang. Tot gisteravond. Je kwam thuis, eerder dan verwacht, niemand leek nog een taxi nodig te hebben, kap er maar mee, zei het meisje van de centrale, de schikgodin die jou op het noodlot af stuurde. Je hoorde een stofzuiger, wat raar was want zo laat in de avond zuigt Liz nooit stof omdat ze daar bang van wordt – dan hoort ze niet of er iemand aankomt, denkt ze dat er ineens iemand naast haar staat.

Verdomme, wat is dit? Een controle of zo? Blauw zwaailicht in de verte. Sirenes die het geping overstemmen. Hangt dat samen met die helikopter? Terrorismedreiging misschien. Je riep haar, maar je kreeg geen antwoord, alsof ze jou ook had opgezogen en je niks meer voor haar betekende dan al die stofjes en haartjes en kruimels die de luchtwegen irriteerden en haar woning in diskrediet brachten. Je was er niet meer, je wervelde rond in een kartonnen zak, tot as wedergekeerd. Opnieuw riep je haar naam. Twee keer, drie keer. Alsof je haar met dat woord probeerde open te wrikken, een sleutel die niet meer paste omdat iemand heimelijk het slot had verwisseld. Iemand. Iemand die je niet kende. Die ik niet ken.

Ook van achteren komt nu een sirene aangewaaid. Een hoog, splijtend geluid. Is de dader in de buurt? Iemand die ik niet ken. Tikt er ergens vlakbij een bom in een auto? Je rukte de stekker van de stofzuiger uit het stopcontact. Een ambulance flitst voorbij. Er moet een ongeluk gebeurd zijn. Een aanrijding. Toen pas draaide ze zich om. Haar kimono hing open. Van een kapsel was geen sprake meer. Een doorwoeld boeltje. Chaos Look.

Ik stuur de taxi de busbaan op. Stom, had ik natuurlijk al eerder kunnen doen. Waar ben je met je hoofd, jongen? Hoe verder ik er vandaan rijd, hoe dieper ik erin wegzak. Vreemd. Alsof het nu pas tot mij doordringt. Een mes dat binnendringt, korte metten maakt, orde schept.

Ik moet afremmen. Ambulancebroeders lopen met een brancard over de busbaan. Een bebloed gezicht – daar is niet veel meer van over. Nagenoeg weggeslagen, een purperen brij. *The game is up.* Zelfs mijn passagiers hebben even geen oog voor elkaar. Als hongerige apen verdringen ze zich voor het zijraampje. Een ongeluk doet het altijd goed. Haar tepels waren stijf. Dat zag ik voordat ze de kimono dichtsloeg. Beschaamd en geschrokken sloeg ze hem dicht. Op hetzelfde moment ging haar mobiele telefoon over.

Een auto die zo geprakt is dat je niet eens meer het merk kunt herkennen. 'Wauw, die is vet de lul', zegt de jongen achter me. Zelfs de brandweer is aanwezig. Waarschijnlijk om de carrosserie open te zagen en de slachtoffers te bevrijden. Te bevrijden waarvan? Die zijn hartstikke dood. Vet dood. *Poker Face* van Lady Gaga. Dat was de ringtone die klonk. Liz' ringtone. Even aarzelde ze, toen draaide ze zich om en liep naar hem toe. Naar hem, ja, want wie anders belde op dit uur? Dat weet ik nu. Met de kennis van nu weet ik dat. Ook al nam ze uiteindelijk niet op, nadat ze een blik had geworpen op de display van haar telefoon. Ze drukte hem weg en Lady Gaga viel stil.

Tempo nou, weg van deze plek. Met een bloedgang ervandoor. Wie was dat, vroeg ik. Weg van dit slachttoneel. Richt je op wat voor je ligt. Slechts tijdelijk drukte ze hem weg. *Poker Face.* De bowlingclub, daar moeten ze heen, mijn passagiers. Om zo weinig mogelijk ballen in de goot te gooien en zo veel mogelijk tegen de kegels. Om te kunnen lachen en jubelen. Om de ander omver te kegelen. Over vijf minuten zijn we er, calamiteiten daargelaten.

'Ik moet plassen.' Het is het eerste wat ik het meisje verstaanbaar hoor zeggen. Tot nu toe heeft ze alleen maar gefluisterd.

'Nog even geduld, jongedame, we zijn er bijna.'

'Nee, ik moet neiken als een zijlpaard. Ik doe het bijna in mijn broek. Kun je niet effe stoppen?'

Neiken als een zijlpaard – zoiets zou Liz nou ook kunnen zeggen. Met een pokerface woorden verdraaien, woorden vervalsen. Ik rijd door en ondertussen bemoeit de jongen zich ermee. Hij probeert zijn vriendin tot rede te brengen. Te sussen. 'Effe chillen, nou.' Onder mijn voeten spartelen de pedalen, in mijn hoofd jengelt Lady Gaga. Ze schreeuwt, het meisje schreeuwt. 'Stop! Stoppen, man! Of ik zeik je hele taxi onder!'

Pardoes trap ik op de rem. Tot uw dienst. Het meisje kwakt tegen de rugleuning van mijn stoel. Ik sta midden op de rijweg, elk moment kan er iemand tegen ons op botsen. Dan kunnen de hulpdiensten hun werkzaamheden verleggen. Kunnen ze ons bevrijden. Van haar plasbehoefte, van mijn verleden. En de jongen? De jongen die het meisje probeert tegen te houden, die brult. Dat ze zich niet zo moet aanstellen. Dat ze best wel een minuutje kan wachten.

Het meisje slaat haar nagels in de arm van de jongen. Ze kan niet wachten. Met haar andere hand opent ze het portier. Haar navel kijkt me spottend aan en verdwijnt vervolgens. De jongen blijft zitten. Hij trekt het portier dicht, een stalen wand tussen hem en zijn vriendin. 'Rijden maar', zegt hij, en ik rijd. De klant is immers koning.

De achteruitkijkspiegel is gevuld met een zwaaiend en krijsend meisje, dat razendsnel verschrompelt tot een lieveheersbeestje. Zo moet het. De dreiging minimaliseren. Het gesodemieter achter je laten. 'Stom teringwijf', zegt de jongen. 'Ik wist het wel. Ik wist het wel dat ze me weer zoiets zou flikken. Altijd hetzelfde gekut met die bitch. Elke keer als we iets gaan doen met mijn vrienden moet ze de boel verzieken. Als ik er niet honderd procent voor haar ben, dan hoeft het voor haar niet meer. Echt vet irritant.'

Is dit het taalgebruik van de hedendaagse student? Of stonden die twee toevallig bij het faculteitsgebouw van Mens en Samenleving? Een verkeerde conclusie is snel getrokken. Maar toen Liz zei dat het iemand van haar werk was, een collega met wie ze nu niet wilde spreken, toen kon ik het onmogelijk bij het verkeerde eind hebben. Ja, ineens wist ik absoluut dat het foute boel was. Absoluut, ja. Niet relatief. Nee, de situatie had dogmatische kracht. Het huis dat werd opgeruimd, het haar dat nog niet tot de orde was geroepen, het gezicht dat zich nog niet tot een pokerface had teruggeplooid, de openhangende kamerjas, en toen Lady Gaga als een soort deus ex machina, nee als een wraakengel die neerdaalde op de plaats delict. Dat alles wees kristalhelder in één bepaalde richting. En dat was niet in mijn richting, nee, die vluchtlijnen convergeerden niet in de wettige echtgenoot maar in de man die zich schuilhield in Liz' telefoontje. De man die zij wegdrukte. Tijdelijk wegdrukte.

'Dat is toch niet normaal, man', jammert de jongen. 'Of heb jij soms ook zo'n wijf? Ik bedoel dat ze er niet tegen kan als je één seconde niet naar haar kijkt. Als je per ongeluk effe de andere kant op kijkt. Dat ze dan meteen begint te zeiken dat je naar andere vrouwtjes zit te kijken. Ik weet het niet hoor, maar volgens mij zijn ze niet allemaal zo.'

'Nee, mijn vrouw was... mijn vrouw is niet... niet zo. Gelukkig zijn niet alle vrouwen zo jaloers, dan zou de aarde niet meer draaien.' Maar stilzwijgend eiste ze wel bakken vol aandacht op. En omdat ze die naar haar smaak niet in ruime mate kreeg...

'*What did you expect, what did you expect from...*' Die ringtone ken ik niet. 'Fuck it, stomme bitch', zegt de jongen en hij drukt zijn vriendin weg. Misschien wel voor altijd. 'Een *shitload* van gekloot heb je ermee, man. Ik ben helemaal niet jaloers en dan zegt ze dat dat komt omdat ik niet van haar hou. Echt bezopen. Van mij zou ze het best een keertje met mijn vrienden mogen doen. Waarom niet? Dat zijn mijn maten, die ken ik toch, daar is toch niks mis mee? Hebben we ook een keer gedaan met een chickie van mijn neef. Die vond dat vet relaxed. Hoe meer pikken, hoe meer vreugd, haha.'

Ik zwijg. En ik rol en rol maar door met die stalen schil om me heen, een vrucht die is weggesmeten omdat hij rot vanbinnen is en stinkt. Met in mijn onmiddellijke nabijheid ook nog eens een vuilspuiter. Een respectloze smeerlap. Ik minder vaart en meteen heb ik het gevoel dat de tijd me inhaalt, me bespringt en in mijn nek hijgt. Dat de tijd me terechtwijst. *Oh, oh, oh, I'll get him hot, show him what I've got.* Goddank is daar het bowlingcentrum. Kan mijn klant lekker met zijn maten gaan keten. Kunnen ze met hun mobieltjes filmen hoe ze expres ballen op de baan naast hen gooien. Vet lachen, man. En op een gegeven moment vragen ze aan het meisje achter de bar of ze zin heeft om na sluitingstijd met hen mee te gaan. Naar een kelderbox. Voor een collectieve spermadouche. Voor een... Hou toch je kop, man. Kelderboxseks is fictie. Je bent pathetisch. Je stelt je aan. Dat zei Liz. Gisteravond zei ze dat, of vannacht, zo precies weet ik het niet meer.

Terwijl de jongen me het geld geeft, gaat zijn telefoon opnieuw over. 'Godver.' Tijd voor wisselgeld heeft hij niet. Met het mobieltje tegen zijn oor loopt hij weg. 'Ach schatje, doe nou niet zo stom. Ik vind je echt wel chill. Als je wilt dan...' Zijn stem sterft weg. Het is een smekende stem. Een eenzame stem. Een stem die volledig uitgebrand is.

Er is een gedeeltelijke stroomstoring in de bowlingclub. De glanzende ballen van urethaan liggen lusteloos in de rekken. Geen vinger die zich in hun openingen vasthaakt. Bij de banen 1, 3 en 7 hangen de kegels halverwege het plafond en de baanvloer, als slachtkippen die aanstonds zullen worden onthoofd. De elektronische scoreschermen zijn zwart.

Geen foutlijn die wordt overschreden. Geen gepiep van bowlingschoenzolen in de aanloopzone. Geen gracieuze backswing te zien, geen klunzige release, geen bal die van het gepolijste hout de goot in tolt.

Ook bij de bezoekers lijkt de stroom te zijn uitgevallen. Ze raken hun energydrinks niet meer aan; zelfs hun mobiele telefoons laten ze ongemoeid.

Alleen het kunstlicht doet nog zijn plicht – zonder enig erbarmen beschijnt het dit bevroren slagveld. Buiten het bereik van dit ijzige schijnsel, in een schemerige hoek van het bowlingcentrum, zit een meisje op een skaileren bank, haar benen uit elkaar, haar truitje niet verder reikend dan haar navel. Een glimwormpje daarin. Naast het meisje, half over haar heen gebogen, een jongen. Hij beweegt zijn linkerarm, nu eens heen en weer, dan met draaiende bewegingen. Duim-, wijs- en middelvinger van zijn linkerhand lijken afgehakt, ze zijn gedeeltelijk verzwolgen door een bowlingbal. Een bal van veertien pond – aangedreven door een klauw, traag tollend tussen de dijen van het meisje, tegen haar kruis. Niet zo hard, fluistert ze, zachter, veel zachter, je moet het opbouwen. Ondertussen denkt ze aan de taxichauffeur, wiens gezicht ze niet heeft gezien maar die niettemin in haar binnendringt, van achter, haar ellebogen steunen op de hoedenplank, de achterruit raakt bewasemd.

Zachter, maant het meisje opnieuw. De jongen gromt. Geergerd laat hij de bal los, die van de bank valt, weg stuitert, tussen stoelen en tafelpoten rolt, almaar rolt, zonder doel, zonder verlangen.

13:21 UUR

Ik meld me bij de centrale. Nog altijd ben ik traceerbaar. In plaats van hondsdol door de straten te razen. 'Driedubbelnegendubbel, ik heb restaurant Wu Di voor je.' Je evenwichtigheid heeft je uiteindelijk ten val gebracht. Daar walgde ze van, zonder dat je het wist. Dat je je nooit eens liet gaan, altijd en eeuwig die weerzinwekkende controle. Op het moment dat Liz je dat vertelde, verloor je je beheersing. 'Drieduizenddriehonderdnegenennegentig gaat naar restaurant Wu Di. Op de Plataanstraat toch?' Alsof je stante pede aan haar verlangen voldeed. Haar verlangen naar een hartstochtelijke man, een woesteling, een soort Heathcliff. 'Op de Plataanstraat ja.' Je verloor je hoofd. Nodeloos verloor je je hoofd – omdat de schade al onherstelbaar was. Je kwam binnen en je zag haar met die stofzuiger in de weer en... Maar wacht eens even, toen had ze die telefoon al in haar hand. Ja toch? In de ene hand de stofzuigerpijp, in de andere de smartphone. Hoe kom ik er dan bij dat ze pas later dat ding opnam en meteen weer weglegde? Die gast wegdrukte. Nadat ze natuurlijk had gezien dat hij het was. Maar nee, zo zit het niet. Hij was er al, in haar oor, afgevaardigd door een hoogst hartstochtelijke, hoogst innemende stem. Om nazorg te verlenen, om te vragen of ze hem al miste hoewel hij nog geen halfuur geleden zijn hielen had gelicht, terwijl in míjn oor het gegons van de stofzuiger klonk. En het gekraak van de mobilofoon nu. Dat rivaliseert met het stofzuigergegons. Waardoor ik niet kan verstaan, niet kon verstaan wat ze zei, wat ze fleemde en klessebeste tegen die gast. Met haar rug stond ze naar je toe. Ze hoorde je niet, jij verstond haar niet.

De Plataanstraat, dat is in wijk G. Geen plataan te zien in die straat, voor zover ik me kan herinneren. Maar het geheugen is onbetrouwbaar. Het zeeft slechts de meest gepolijste puzzelstukken uit de beerput. Het is nog niet eens twaalf uur, of dertien, nee misschien veertien uur geleden dat je daar stond in een huis dat overhoop gehaald leek, alsof er was ingebroken, alsof het niet meer van jou was, en je vrouw op de rug zag met – vreemd genoeg – een stofzuiger in de weer, en nu al weet ik niet meer zeker of ze – minstens zo vreemd vanwege het late uur – tegelijkertíjd aan het telefoneren was of dat ze pas daarna met dat corpus delicti iets deed, met die verdomde smartphone, die ze sowieso weglegde, hetzij toen ze me in de smiezen kreeg, hetzij nadat ik het stofzuigersnoer al uit het stopcontact had gerukt en ineens die weerzinwekkende ringtone klonk. Wie was dat? Dat heb ik in ieder geval gezegd, honderd procent zeker. Nou ja, negenennegentig. In beide gevallen heb ik dat gezegd, ik bedoel, zowel in het ene als in het andere geval, zowel voor zover ze tijdens het stofzuigen de smartphone al in haar hand had, als voor zover ze pas een paar minuten later dat ding oppakte om het vervolgens meteen weer neer te leggen. Telkens als ik door mijn huis loop, vanaf het ogenblik waarop ik de stofzuiger hoorde tot het moment dat ik de deur weer achter me dichtgooide, waad ik door een troebele bron. Misschien omdat ik mijn hoofd verloor en niet meer precies wist wat ik deed, wat ik zei. Zodat ik het nu ook niet meer weet.

De helikopter wentelt nog altijd door de lucht. Is het nou een noodhelikopter of een politiehelikopter? Is-ie zoekend of reddend bezig? Hij lijkt niet meer boven wijk M te cirkelen.

Wat die handen doen, is hoogst onprofessioneel. Ze trillen. Ze maken kleine sprongetjes op het stuur. Tok, tok. Geen vreugdesprongetjes, dat weet ik zeker. Tok, tok. Je klopte op de deur van de woonkamer omdat je haar niet wilde laten schrikken vanwege je onverwacht vroege terugkomst. Zinloos klopte je op die deur, want ze hoorde het niet. Met haar rug stond ze naar je toe, in de kimono. De rug die ik zo vaak gekrabd heb om de spanning erin weg te krijgen. De kimono die ik kocht toen ze eenendertig werd. Een Chinese kimono van viscose. De draak op die rug. Vuurspuwend en furieus, met pronkerige tong en tanden. En toen ze zich dan eindelijk omdraaide, verschenen de gelukstekens en de symbolen van Lang Leven, vijandiger nog dan de draak. En daartussen haar borsten met de stijve tepels. Venus betrapt door Vulcanus.

Als het maar niet weer zo'n klef stelletje is dat op mij wacht in dat Chinese restaurant. Dat gefrunnik, dat gefezel. Ook Liz was soms onuitstaanbaar klef. Las ik een boek, kwam ze op mijn knieën zitten, haar borsten op de bladspiegel. Ik duwde haar van me af, stuurde haar weg, En ze was nog maar net verdwenen of ik verlangde naar de vrouw die me bij het lezen had gestoord. Verlangde zo naar haar dat ik het boek weglegde en op zoek ging naar Liz. Maar dan wilde ze meestal niet meer, dan hoefde het niet meer voor haar. En als ze zich wel liet omarmen, verlangde ik ineens weer hevig terug naar het weggelegde boek, wilde ik niets liever dan Liz loslaten en het boek vasthouden. Zo was het toch, Liz? Wat zit je nou spottend naar me te glimlachen? Met je fotomond. Je gebarsten mond.

Wat moet die helikopter toch?

De kimono, met op het rugpand de draak en aan de voorzijde de geluksymbolen, had ook een ceintuur. Maar die was ze kwijt, toen, die avond, gisteren, vannacht. Zodat de kimono steeds weer openviel en haar borsten onthulde, haar kale kut. Als om mij eraan te herinneren dat... De nar is familie van de draak. De nar die ik van Liz kreeg en die nu voor mijn ogen heupwiegt. De draak die ik aan Liz gaf en die achterbleef. Heeft hij de ceintuur soms meegenomen, als souvenir, zoals ook ik souvenirs heb meegenomen om... De ceintuur die we soms gebruikten bij onze wurgspelletjes. Haar kale kut geflankeerd door ingeweven gelukstekens en Lang Leven-karakters. De draak die zich weer tegen me keerde toen Liz op haar smartphone af liep omdat het ding geluid maakte. Het geluid van een binnenkomende sms. Hu-hu. Of klonk het als woe-woe? Tussen hu-hu en woe-woe in misschien.

Een rij bij het Tropisch Zwemparadijs. Wie heeft er nou zin om zich in water onder te dompelen op een dag als vandaag? Neerslag, niets dan neerslag.

Wat staan die nou te wuiven? Aha. Ze willen een dak boven hun hoofd. Nee, het spijt me, beste mensen, met mij kunnen jullie niet mee. Nooit zal ik weten of jullie haren nat van het zwemmen of nat van de regen zijn.

Je liep met haar mee, je wilde het weten, wie het was, of het zogenaamd weer die collega was, zo vreemd was dit alles, de stofzuiger, de draak, de stijve tepels, de telefoon, haar haar. Hu-hu. Woe-woe. Wie het weet, mag het zeggen. Shit, daar is Wu Di al. Inderdaad geen plataan te bekennen in de Plataanstraat. Voor sommige dingen heb je een feilloos geheugen.

Ik stap uit. De regen lijkt van alle kanten te komen. Ze zei dat het die collega weer was. Je rukte het telefoontje uit haar hand. De nagel van mijn dikke teen schraapt langs de binnenkant van de schoenneus. Dat krijg je als er een gat in je sok zit. Restaurant Wu Di ziet er gesloten uit. Tussen het geruis van de regen het geronk van de helikopter. Op de telefoondisplay was niks meer te zien, althans geen naam. Alleen maar van die symbooltjes. Gelukstekens. Een deur zwaait open. Dat moet hem zijn, mijn klant, half verscholen achter een openklappende paraplu. Weet ik veel hoe zo'n touchscreen werkt. Als ik dat had geweten, dan...

'Bent u de taxi?'

Ik knik, loop terug. Mijn mobiele telefoon, die ergens in een la lag en daar nog steeds ligt, is een antiek exemplaar. En zelfs dat ding weet ik amper te bedienen.

Hij komt naast me zitten, verdomme, met een druipende paraplu. Had je maar het achterportier voor hem open moeten houden. Maar je bent er niet bij, je bent er helemaal niet bij, meneer drieduizenddriehonderdnegenennegentig. Vraag hem dus maar snel wat zijn bestemming is. Zo, zo, Straat 98. Het lijkt er vandaag wel op dat iedereen verdomd ver weg moet zijn. Zo ver mogelijk.

'Weet u waar dat is?' Zijn woorden zijn weinig vormvast.

'Ja, uiteraard. Ik ken elke straat in deze stad en toch...'

'En toch wat?' Stinken doet-ie ook.

'Toch valt het soms niet mee ergens te komen met al die opengebroken straten en die wegomleidingen.'

'Een waar woord, beste kerel! En daarom rijd ik zelf niet meer, althans niet als ik mijn nobele werk als praktiserend geneesheer moet uitoefenen, haha... Nee, mijn patiënten kunnen niet wachten, de snelste weg naar die arme duivels, dat ben ik hun verplicht, nietwaar, en derhalve leg ik mijn lot en dat van mijn zieke medemens gaarne in handen van de taxichauffeurs.'

Geen twijfel mogelijk, die gast is zo lam als wat. Hij ruikt naar rijstwijn en zijn gezicht is framboeskleurig. De stinkende heelmeester. De dokter met de dubbele tong. De gezondheidszorg lijdt wereldwijd onder corruptie – met dat uitgangspunt was Liz de laatste maanden hoofdzakelijk bezig voor haar werk. Een groot en schokkend artikel moest het worden, er zouden koppen rollen. Dubieus declaratiegedrag, te dure of onnodige behandelingen, steekpenningen in dokterspraktijken, manipulatie van onderzoeksgegevens. Wie geneest, wie beduvelt.

'Wat een fabuleus restaurant is dat Wu Di! Geen hond te bekennen, behalve dan in het eten misschien, haha. En wat betreft de andere dieren... Ze hebben daar twee aquaria. Eén is leeg en in het andere drijft één armzalige vis. Een treurige bende. Daar houden ze het oude China nog in ere, toen de kapitalistische communisten het nog niet voor het zeggen hadden.'

Hij heeft de kop van een kroegbaas. Inclusief purperen kokkerd. Vlekken op zijn manchetten. Op grote schaal worden zinloze medische handelingen verricht, niet alleen door op geld beluste artsen maar ook vanwege intimiderende patiënten die per se geholpen willen worden. Aldus mijn wettige echtgenote, journaliste van beroep. Vertwijfeld en woedend en verslagen en ontzet staarde je naar de icoontjes op haar telefoondisplay.

'En dan dat eten van ze, briljant gewoonweg', vervolgt de dokter. 'Ik had een pekingeend besteld maar volgens mij kreeg ik gewoon een hypertrofisch vleeskuiken. Jazeker meneer, een plofkip. Een plofkip met borstblaren en doorligplekken omdat dat arme beest met twintig lotgenoten op één vierkante meter zes weken moest zien te overleven. Zes weken en toen werd-ie gered door de slachter, *pauvre poulet*. Nee, dan had die eenzame vis het nog beter.'

Hij is begaan met het lot van de plofkip terwijl hij het niet erg vindt om bij zijn patiënten met een dronken kop te verschijnen. Als hij maar niet doet wat Liz destijds deed: het dashboardkastje open en hoppa, het braaksel spoot naar binnen, over mijn identiteitspapieren heen. Kotsen ging haar makkelijk af. Ik zie het nog haarscherp voor me: Liz op de roltrap, het braaksel dat tussen haar naaldhak-ken langzaam naar beneden druipt terwijl zij naar boven gaat. Haar meest opzienbarende kotsactie. Kon ik ook maar zo makkelijk kotsen. Mond open en al het gif eruit. Ik heb nog niet eens geplast vandaag. Geplast noch gepoept. Geen aandrang. Dat komt allemaal later wel, daar is mijn lichaam nog helemaal niet aan toe.

De dokter slaat met zijn vlakke hand op het dashboard. 'In de westerse pluimveebusiness heeft de plofkip een marktaandeel van ruim negentig procent, wist u dat? Barbaren zijn wij. En nu heb ik vermoedelijk ook zo'n beklagenswaardig schepsel gegeten, stel u voor. Maar kom, mensen zijn minstens zo deerniswekkend. Zoals dat meisje naar wie ik nu toe moet, dat domme, arme schaap. Heeft wat met een scheermesje zitten experimenteren. Of misschien...' Hij hijgt, slikt, probeert een oprisping te onderdrukken. 'Misschien was het wel zo'n degelijk Zwitsers zakmes. Hoe dan ook, automutilatie is in de mode. Verbeter de wereld, begin bij jezelf. Stelletje uilskuikens! Aandachtsmonsters zijn al die jongelui. Als ze hun pudenda niet exposeren voor een webcam, dan offeren ze hun gave lijfjes wel voor een gezellige horrorshow. Waanzin, pure waanzin!'

Heeft die knakker niet zoiets als een beroepsgeheim? Een bepaalde erecode? Het immorele en buitensporig financieel strategische gedrag van de medische beroepsbeoefenaars, daarover had Liz het de laatste maanden geregeld met mij. Daardoor leek ze in beslag genomen, zoals ze in die tijd ook geobsedeerd werd door haar haarvezels. Het haar boven kreeg een vipbehandeling en het haar onder werd telkens weggeschoren. En ik maar denken dat het een modegril was. Maar het was natuurlijk om die vent te gerieven. En dat ze zo uit haar mond stonk – ook dat was iets van de laatste maanden. Rook alleen ik dat? Wist mijn neus het al maar ikzelf nog niet? Of kwam het door al die geheime en overvloedige speekseluitwisseling, dat ze tandsteen kreeg van de enzymen in het spuug van die gast? Zou de dokter dat misschien weten? En misschien moet je hem ook vragen of dat nou echt zoveel hygiënischer is als je je schaamhaar weghaalt. Dat beweerde Liz ineens om haar kale kut te rechtvaardigen. Minstens twintig jaar lang met schaamhaar rondgelopen en dan ineens rats!, alles eraf, zogenaamd ten bate van de persoonlijke zindelijkheid, maar in werkelijkheid... Over automutilatie gesproken, verdomme.

Voor me het natte asfalt, naast me een man wiens halsaders opzwellen. 'De frontale lob moet geprikkeld worden', zegt hij, 'anders gaat het bergafwaarts met ons. Dat zit maar allemaal de godganse dag op z'n krent. De jongelui achter de computer, de huisvrouwen voor de televisie, de mannen op de barkruk. Als je niet beweegt, verpietert het brein. En dat resulteert dan weer in existentiële onvrede of dementie. De mensen worden op steeds jongere leeftijd getroffen door hersendefecten. Omdat er niet meer buiten gespeeld wordt, omdat de frontale lob wordt veronachtzaamd!'

Moet hij nodig zeggen, met z'n plofkipkop. Die heeft nog nooit een drafje gemaakt in zijn leven. Die spat dadelijk nog uit elkaar. Kijk nou eens, de kantoorpanden in deze straat zijn nog steeds niet afgebouwd. De woningen evenmin. Een straat waar de vooruitgang stokt. Omdat de bedrijven die zich er zouden vestigen failliet zijn. Omdat de succesvolle tweeverdieners die er zouden komen wonen uit elkaar zijn. Omdat de aannemer in hechtenis is genomen vanwege gesjoemel met illegale bouwvakkers. Omdat de stenen op zijn. Omdat je niks aan de smartphone wist te ontfutselen, geen naam, geen nummer, geen bericht, smeet je het ding weg. Tegen de muur. En Liz keek je aan. Verheugd bijna – omdat ik eindelijk mijn beheersing had verloren. Onthutst – omdat ik op het verkeerde moment met het verkeerde object mijn beheersing had verloren. Ontredderd – omdat ik de lifeline met haar minnaar, haar verlosser, haar droomprins, had gesaboteerd. Omdat, omdat, omdat. Alsof er zoiets als een causaal verband bestaat in deze teringzooi. Minstens twintig procent van de diagnoses door medici blijkt niet te kloppen. Zeven procent van de in rekening gebrachte zorg wordt dubbel gedeclareerd. Aldus Liz. De plofkip heeft een marktaandeel van ruim negentig procent. Aldus de dronken dokter.

Daar is de helikopter weer. Daar buiten. En hier binnen is nog altijd het horloge op mijn pols. De rotorbladen van de helikopter, de wijzers van het horloge. En maar draaien, en maar malen. Het horlogebandje is nagenoeg doorgescheurd. Maar de wijzers vertonen nog geen spoor van slijtage. Onuitstaanbaar levendig. De rode secondewijzer dartelt in het rond. Onbegrijpelijke hypocrisie. Slaaf van de vooruitgang, van een mechanisme, gekerkerd in glas. En toch zo verdomde frivool.

De dokter neemt me vorsend op. 'Die koortslip van u, daar moet u van afblijven, beste kerel. Dat komt vanzelf wel goed. Zoals de meeste aandoeningen uit zichzelf genezen. Maar de hedendaagse mens eist instantoplossingen, probeert met alle macht een spoedbehandeling af te dwingen. Zo'n meisje dat wat incisies in zichzelf heeft gemaakt bijvoorbeeld. Volstrekt overbodig dat ik daar heen ga, in medische zin welteverstaan. Die wondjes aan de binnenzijde van de armen kunnen heus ook wel door haar moeder worden verzorgd. De meeste kwetsuren van automutilanten zijn slechts oppervlakkig. En in de schaarse gevallen dat die godvergeten uilskuikens werkelijk iets ernstigs van plan zijn, bezitten ze goddank niet genoeg anatomische kennis om de meest dodelijke plaats te treffen.'

Ook jij. Ook jij wilde meteen geholpen worden. Ook jij kon niet wachten tot de zaak Liz uit zichzelf zou doodbloeden. Ogenblikkelijk moest je weten hoe het gezwel heette, waar het zat, welke omvang het had, et cetera, et cetera. Maar het instrument dat je daar meer informatie over kon verschaffen, smeet je aan gruzelementen. En degene die tegelijk de ziekteverwekker en de ziekenzuster was, het virus en het antiserum, die...

'Je hebt ook van die lieden die in een vlaag van waanzin hun hals verwonden. U mag gerust weten, dat zijn verrekt gecompliceerde wonden, omdat in een beperkte ruimte zo veel vitale organen bij elkaar liggen. Als die zomaar uit elkaar worden gerukt, dan heb je de poppen aan het dansen. Dan valt er vaak nog maar donders weinig te repareren, beste man!' Zijn wijsvinger tikt tegen de nar, die rond zijn as draait. 'Meestal zijn het ziekelijke mannen boven de gemiddelde leeftijd die zich dergelijke wonden toebrengen. In de regel heeft men in de rechterhand het scheermes en loopt de wond met getande randen van linksboven naar rechtsonder langs het strottenhoofd, soms zelfs geheel horizontaal of zo diep in de zijdelings gelegen delen dat de grote vaten getroffen worden. Meerdere wonden aan de hals behoren tot de uitzonderingen, hoewel de gemakkelijk plooibare huid op veel plaatsen beschadigd kan zijn. Nog niet zo lang geleden had ik een geval...'

'Waarom vertelt u mij dit allemaal? Ik vind dit... dit is niet wat... ik kan hier niet goed tegen, het spijt me. Ik had laatst een sterfgeval in de familie, een zelfmoord ja. Weliswaar niet op de manier zoals u... niet met een mes, geen mes, nee, absoluut geen mes, maar toch... u begrijpt...'

'Jazeker, jazeker, beste kerel, ik begrijp het volkomen. Soms gaat de afschuw voor het leven zo ver dat men de meest drastische maatregelen treft. Afgelopen week bracht een collega van u mij naar een geval waar ik alleen nog maar de doodsoorzaak diende vast te stellen. Politie erbij en zo, u kent het wel. Het ging om een kerel van uw leeftijd. Die

142

arme donder had, om volkomen zeker van de afloop te zijn, in iedere hand een ouderwets scheermes genomen en daarmee sneed hij op hetzelfde ogenblik van rechts naar links en omgekeerd dwars om de hele hals heen, waarbij de wonden elkaar kruisten op het strottenhoofd. Ik kan u verzekeren, dat was bepaald...'

'Heeft u me niet begrepen? Ik hoef dit niet te horen. Ik wil dit niet horen.' Wat is hier aan de hand, brulde je. Liz stond gebogen over de kapotte smartphone alsof het een aangereden puppy was. 'Die bloederige verhalen van u, daar heb ik geen behoefte aan. Absoluut niet. Bovendien... heeft u niet zoiets als een beroepsgeheim? U schendt de privacy van uw patiënten, u spreekt over hen alsof het... alsof het slachtdieren zijn, en bovendien... bovendien bent u...' Nee, je gaat te ver. Zei Liz dat vannacht? Je sloeg het telefoontje uit haar hand en daarna smeet je het tegen de muur. Nee, onzin, je smeet het telefoontje pas weg toen je er niet in geslaagd was te zien wie die sms had verstuurd. Of had ze toen al gezegd dat hij het was, de ander, de man die godverdomme... Zolang je je de juiste volgorde niet herinnert, kan er geen sprake zijn van genezing. Zo is het toch, dokter? Moet u die handen van mij zien, is dat een tremor? Wat zegt u? Zei hij wat, die dronken tor?

De helikopter is nergens meer te zien. Vermoedelijk voorgoed weggewiekt. Op de vleugels van de wind. Van de tijd. De stad schiet voorbij. Niks blijft, alles verkruimelt. De snelheidswijzer steigert. Het gat in de rechtersok scheurt verder open en in mijn... De wonden kruisten elkaar bij het strottenhoofd. Miljarden gaan verloren vanwege frauduleuze praktijken in de gezondheidszorg. Kom eens bij zinnen, jongen. Wie zegt dat, Liz of de dokter? Of ben ik het, de drieduizenddriehonderdnegenennegentig, de jandoedel die niks doorhad terwijl de wond al maandenlang etterde en... Je bent pathetisch, zei Liz toen je haar beschuldigde van echtbreuk. Echtbreuk, wat een belachelijk woord. Botbreuk. Contractbreuk. Buikbreuk. Mijn kop is een kaartenbak. Zo'n groot en log ding zoals ze op het kantoortje van de taxicentrale nog hebben staan. Ik voel – ja, Liz, ik voel – hoe achter mijn gezicht wordt gebladerd, ze zijn op zoek naar iemand in mij, naar een aanwijzing, een verhaal dat klopt. Dimmen nou, jongen, effe dimmen.

De taxi mindert vaart. Ben ik daar verantwoordelijk voor? Goddank, ik minder vaart en met mij de voorruit, de binnenspiegel, de achterbak. De stad wordt opengeklapt tot een plein en vrijwel tegelijk gutst er licht uit de neonreclames die boven op de gebouwen staan en aan de puien prijken. Ronddraaiende toerbussen – alsof ze zijn vastgeschroefd op een carrousel. Naast me een zwetende en hijgende man. Alsof ik hem nu pas voor het eerst waarneem. Het slappe spekroze vel van zijn hals. De knolneus met een inlegwerk van rode takjes. Boven de onderlip staat zich een groepje tanden te verdringen. Een centenbak noemen ze zoiets toch? In zijn jasje zit een brandgat. Verre familie van het gat in mijn rechtersok. Zoals de draak familie is van de... Nee, nee, niet weer op die toer. Vaart minderen. De weg volgen.

'Hoe zit dat eigenlijk...' begin ik op goed geluk, 'met... met de dunne darm? Is die werkelijk zes meter lang? Dat is toch haast onvoorstelbaar, dat we zo'n... zo'n opgerolde boa constrictor in ons lichaam hebben zitten?' Ja, praat maar. Hoe meer je kletst, hoe meer je jezelf uitwist.

'Jawel, beste man, de duodenum, jejunum en ileum tezamen meten inderdaad om en nabij zes meter, maar de vergelijking met een boa constrictor is minder accuraat. Ik zou hem eerder een maaidorsmachine noemen. Au fond zit de mens vol messen en maaibladen en vijzels en vergruizers. Die ingewanden van ons zijn de godganse dag het kaf van het koren aan het scheiden.'

'En ons hoofd dan, hoe zou u dat willen typeren? Dat is toch ook een soort maaidorser. Daar wordt me wat afgemaald en herkauwd, niet?' Gezellig lullen, ja. De mond als vlakgom. Bij het eerste echte afspraakje met Liz, dat weet ik nog precies, gebeurde ook iets dergelijks. Maar dan met een ander lichaamsdeel. Met mijn oog. Hoe meer ik naar haar keek, hoe minder ik hoorde wat ze zei. Het oog als geluidsdemper.

'Nou, nee, beste kerel, het menselijk brein zou ik eerder een papierversnipperaar willen noemen. Al die plannen, al die ambities en herinneringen die daar onafgebroken onleesbaar worden gemaakt. Als de mens dat maar eens zou kunnen, zou durven accepteren in plaats van te menen dat het brein een efficiënte processor is. Dan zou hij niet meer zo vaak zichzelf met een mes toetakelen of een pistool tegen het hoofd zetten.' Met beide handen klampt hij zich vast aan de revers van zijn jasje, alsof hij het gevoel heeft achterover te vallen. 'Overigens is bij geschoten wonden de primaire bloeding gewoonlijk geringer dan bij gesneden wonden, maar dat terzijde.'

Het klopt niet wat hij zegt. In logisch opzicht klopt het niet. Als het brein een papierversnipperaar is, hoe kan het dan tegelijkertijd menen dit niet te zijn en zich niet als zodanig gedragen? Je bent scherp, man, je bent hartstikke scherp. Zoals je dat ook vannacht was, feitelijk vanaf het moment waarop je binnenkwam en ogenblikkelijk begreep dat er iets niet in de haak was, dat alles op instorten stond, ja. En daarom hield je ook zo aan, ook al ontkende Liz aanvankelijk alles, nee er was niets gebeurd, nee ik stelde me aan, nee er was niets, er was niemand, maar je voelde het gewoon, ja je was een en al gevoel, je zenuwuiteinden lagen helemaal open. Je was kwetsbaar en superalert tegelijk, even verwond als vuurgevaarlijk, en je liet niet af, je bleef maar doorbijten.

De helikopter is terug. Terug van weggeweest. Wentelt boven de wolkenkrabber van het PND Levensverzekering-gebouw.

'Zeg, beste kerel, heeft u niet wat versterkends bij zich? Ik heb plotseling een duivelse behoefte aan wat geestrijk vocht. Uiteraard betaal ik u er royaal voor. Ik durf te wedden dat u hier in dit handschoenenkastje een dergelijke kostbaarheid verborgen houdt. Mag ik zo vrij zijn om...'

'Afblijven! Poten thuis, dronken lor! Waag het eens, ik smijt je meteen mijn taxi uit. Dat durft zich dokter te noe-men, christus me ziele. Man, je bent een schande voor je beroepsgroep.' Nee, natuurlijk niet. In werkelijkheid is hij exemplarisch voor de volledig verziekte artsenij, zoals Liz in haar artikel zou aantonen. En jij, jij was allerminst exempla-risch voor jezelf, gisteren, vannacht nog, jij was zo scherp als een mes, en je blik ook, als dat mes, dat mes dat je zag lig-gen op het aanrecht, een broodmes dat niet veel eerder nog goede diensten had bewezen, dat was zonneklaar, stokbrood had gesneden, waarvan nog wat partjes op datzelfde aan-recht lagen, met kruidenboter erop, en...

O god, die man weet niet van ophouden. Alleen men-sen die iets te verbergen hebben, praten zo veel. Ja, zeg het maar, ik zie die centenbak van je wel bewegen. 'Kent u die uitspraak van de tollenaar tegenover Jezus? "Ik ben niet waard dat gij tot mij komt, maar spreek slechts één woord en ik zal genezen zijn." U moet weten, ik zeg het u, in alle vertrouwen, beste man, u bent niet dom, u kan ik het toe-vertrouwen, enfin, wat ik wil zeggen is: hoe vaak heb ik niet gewenst dat mijn patiënten zoiets tegen mij zouden zeggen, ik bedoel dat wat de tollenaar tegen Jezus zei. U heeft gelijk, ik ben het gilde van Hippocrates onwaardig. Ik ben een zondaar en ik zondig met volle teugen, haha. Bij wijze van tegenwicht, begrijpt u wel. Tegen al dat ver-geefs verspilde bloed, tegen de onuitroeibare virussen en de venerische zweren, tegen de ongeneeslijke stompzinnigheid van de homo sapiens. Wacht eens even... Verdomd, is dat niet... Jawel, hoezee, het antisepticum is binnen handbereik. Stoppen, beste man, onverwijld stoppen! Daar, bij die slijterij. Die is zowaar nog open, op zondag, de goden zijn geloofd!'

Mij best. Hoe later die dwaas bij zijn patiënt arriveert, hoe beter. Remmen is soms de beste remedie. Maar in je hoofd raast het verhaal voort, plankgas: hoe je na het broodmes ook de handdoek ontdekte en hoe je je toen afvroeg of het de handdoek voor haar hoofdhaar of voor haar schaamhaar was, en hoe je dat laatste vervolgens uitsloot omdat je besefte dat daaronder geen haartje meer te bekennen was, en hoe je toen ineens begreep dat het evenmin de hoofdhaarhanddoek betrof, maar wel...

Ongelooflijk hoe knap die gast elke keer weer zijn interrupties weet te timen. Ondanks z'n beschonken kop. Hij heeft het portier al opengegooid terwijl we nog niet eens stilstaan.

'Moet ik op u wachten?' vraag ik.

'Wachten? Hoezo?'

'U moest toch naar een patiënt, dat meisje dat zichzelf heeft gesneden.'

'Ach dat. Nee man, laat die tuthola maar wat aan zelfredzaamheid doen. Hoe durft ze, een eerbare man als ik op de dag des Heren lastig te vallen. Ze zoeken het maar mooi zelf uit vandaag, mijn dienst zit erop. Bacchus roept, ik moet hoognodig een plengoffer brengen.'

'In dat geval zou ik toch wel graag zien dat u mij de verschuldigde ritprijs betaalt, dokter. Uiteraard hoop ik dat u hierdoor nog voldoende stuivers overhoudt voor die Bacchus van u.'

Bij vlagen drukte je je gisteravond ook zo uit: spotziek. Maar naarmate de minuten verstreken en Liz' leugens vorderden, werd je steeds oprechter. Oprecht woest. Oprecht ontredderd. Oprecht onredelijk. Je verloor uiteindelijk elke beheersing en toch was je scheermesscherp. Kan dat, dokter?

De dokter mompelt een verontschuldiging. Hij legt één flap te veel in mijn hand maar weigert deze weer in ontvangst te nemen. 'Weet u wat het met u is? U zou net zomin taxichauffeur moeten zijn als ik geneesheer. U vergooit uw leven, of erger nog: misschien heeft u het al vergooid. Maar voor berouw is het nooit te laat. *Ego te absolvo, filius meus.* Ga heen in vrede en moge het Opperwezen u beschermen.'

De huisarts wankelt weg, boven zijn hoofd een kapotte paraplu als een antenne waarin een vlieger verstrikt is geraakt. Een verkeerde diagnose, dokter. Niet omdat de farmaceutische industrie u daartoe heeft gedwongen of omdat u anderszins een centje wilt bijverdienen. Maar omdat u van niks weet. Zonder mijn taxi had ik mezelf al lang naar de mallemoer gezopen. Of met twee messen mijn hals doorgesneden. Buiten de cocon van mijn taxi zou ik al lang zijn gestikt. Kijk nou, of ik nu stilsta of gas geef: buiten de raampjes van mijn taxi wentelt de wereld onweerstreefbaar rond – een zweefmolen waarvan alle stoeltjes bezet zijn. Daar is geen plaats meer voor mij, ik heb daar niks meer te zoeken.

Het bloed nog nagloeiend van het flitslicht. Spatten ervan. In de wasbak en in het geheugen van een mobiele telefoon. En met onvoorstelbare snelheid als een radiogolf reizend door de ruimte om ten slotte als digitale informatie, als foto te worden bekeken. De foto van het bloed van een meisje dat het mes in zichzelf heeft gezet. Inkepingen loodrecht op de hemelsblauwe levenslijnen aan de binnenzijde van de pols. Showwonden.

In een ander huis in een andere wijk, ver verwijderd van de badkamer waarin de wonden werden gemaakt en gedocumenteerd, klikt een jongen op BERICHT VERWIJDEREN. Het bloed wordt gewist. Wat rest is de consensus tussen (enerzijds) de spiegel boven de wasbak waar het meisje haar huid opensneed en (anderzijds) het lcd-schermpje van de smartphone die aan de jongen toebehoort. De spiegel weerkaatst een lege muur, het lcd-schermpje is zwart.

Ook de fles die door de hand van de dokter wordt omkneld, vormt een spiegelend vlak. De oranje gloed van een straatlantaarn glijdt over het glas, van de hals tot aan de bodem, waar nog twee vingers breed een donkere vloeistof schommelt. Zijn andere hand gebruikt de dokter om een taxi aan te roepen.

Rakelings raast de wagen langs hem heen, regenwater besproeit de broekspijpen. Brullend werpt de dokter de fles in de richting van de verdwijnende taxi, waarbij hij zijn evenwicht verliest en zijn hoofd de stoeprand raakt. De fles spat uiteen tegen de achterkant van een geparkeerde auto. Een alarm begint te loeien.

Niet veel later maakt de dienstdoende agent met zijn mobiele telefoon een foto van het door bloed omkranste hoofd van de dokter.

13:36 UUR

Misschien had ik de dokter moeten volgen – taximeter, achteruitkijkspiegel en nar achter me laten en dan samen met hem me aan barrels zuipen, ergens in een achterafstraatje wakker worden en niets meer weten, schoon zijn, leeggehaald, gezandstraald. Maar nee, zo te zien drijf ik verder op dit eiland van staal, glas, leer, rubber, kunststof en chroom, opgejut door het meisje van de centrale, de driehonderdduizend kilometer inmiddels gepasseerd, eelt op m'n poten van jarenlang een stuur vasthouden en toch doorgaan, in de hoop dat de teller op nul komt te staan, dat de spanning uit mijn handen wegtrekt, mijn vingers week worden en... wat zeg je, Liz, dat ik jou wat vaker had moeten vasthouden in plaats van dat stomme stuur, ja, misschien heb je daar gelijk in, maar nu rest mij geen andere optie meer dan net zo lang aan dat stuur sjorren tot ik dolgedraaid ben, zoekgespeeld.

De volgende klant wacht alweer op me, de tiende van vandaag als ik me niet vergis, volgens het meisje van Tatax een vrouw die naar Begraafplaats Noord moet, is dat niet geinig, lieve Liz, een dooie die een levende naar de dooien vervoert? Ja, dat armzalige woord gebruikte ik telkens om aan te geven wat ik ervan vond, van haar nieuwe jurkje, van het stuk dat ze had geschreven, van het kapsel dat ze na ruim een uur in elkaar had geflanst. Geinig. Meer schoot me gewoonweg niet te binnen. Geen wonder dat ze haar toevlucht bij iemand anders ging zoeken, bij iemand die haar onder superlatieven zou bedelven, onder bloemen en kussen en kattebelletjes en sms'jes en ander geinig gedoe.

Helikoptertje, helikoptertje in de lucht, wie is daar op de vlucht?

In het hoofdkantoor van de Waterleidingmaatschappij brandt licht. Kennelijk werken daar nog mensen. Op zondag. Omdat ze niet weten wat anders te doen. Omdat hun thuissituatie onhoudbaar is, zoals dat zo mooi heet. Omdat ze hun vrouw niet onder ogen durven komen, hun baas tevreden willen stellen, hogerop willen, niet ontslagen willen worden. Waarom heb je het gedaan? Die smartphone aan duigen gegooid en vervolgens de waarheid uit haar geperst? De waarheid die mijn hart aan duigen heeft gegooid. Gaan we nou sentimenteel worden, gaan we ons nu opeens vastklampen aan gebroken harten?

Halverwege de Pantheonstraat doe je even je ogen dicht, oké? Kijken wat dat oplevert. O nee. Allemaal vliegen die rond mijn hoofd zwermen. Alsof ik een ziek paard ben. Doe maar weer open, dat helpt niks. In een ondeelbaar moment kan soms een heel leven overhoop gehaald worden. In een onbewaakt moment. Als je die handdoek niet had gezien, was er misschien niks gebeurd. Als je de handdoek had genegeerd in plaats van hem te rechercheren, jij uilskuiken, om met de dokter te spreken, de dokter die nu waarschijnlijk in coma ligt, niet meer in staat om verkeerde diagnoses te stellen of dubbele declaraties te schrijven... Liz en haar handdoeken. Vier stuks. Een blauwe voor haar intieme delen, een rode voor haar gezicht, een grijze voor haar voeten, een groene voor het haar dat ze om de twee dagen waste. Als neergehaalde seinvlaggen lagen ze verspreid door de woning, telkens weer als ik thuiskwam.

De Gordellaan, dan de Wolvenstraat. Daar zit iemand in het bushokje terwijl die halte al lang is opgeheven.

En dan waren er nog de twee andere doeken. Wild Bob en Veronica. Ter stelping en wissing. Zodra Wild Bob hard en korstig was, werd hij afgelost door Veronica. Wild Bob was donkerblauw, Veronica turquoise. Na de geslachtelijke omgang steeds de vraag: Heb je Wild Bob ergens gezien? Of: Waar is Veronica?

Langs de Grenskade schommelen een paar vermolmde bootjes. Die gaan nergens meer heen. Die liggen daar gewoon te verrotten en niemand die zich erom bekommert.

Wild Bob, de doorgedraaide en stervende Amerikaanse kolonel die zijn medegevangene Billy Pilgrim op het hart drukt: '*If you're ever in Cody, Wyoming, just ask for Wild Bob!*' Uit *Slaughterhouse Five*, mijn favoriete boek.

Aan het eind linksaf en dan ben ik er.

Op de bank lag niet de groene hoofdhaarhanddoek of de saffierblauwe schaamstreekhanddoek. Nee, het was Wild Bob. Ontegenzeggelijk. Wild Bob, woonachtig te Cody, Wyoming, stervend bij de grens van Luxemburg en Duitsland. De kolonel die zijn complete regiment verloren had. Toen je hem oppakte, zag je verse etter uit de wonden druipen.

Shit. Dat ik van rechts kom, maakt die hufter geen moer uit. Dit is niet mijn land, dit is het land van Liz.

Nummer 133 van de Passerstraat staat te koop. Daar woont de vrouw die naar de begraafplaats moet. Ze is nergens te zien, uitstappen dan maar. Niet uitglijden op het trappetje en aanbellen. Je klopte op de deur omdat je haar niet aan het schrikken wilde maken. Liz die bezig was de sporen uit te wissen maar Wild Bob nog niet in de wasmand had gegooid. Nog maar eens op de bel drukken. Voorzichtig opende je de deur en daar was de draak, de draak die zijn tong naar je uitstak. De deur gaat open: een vrouw met een bos bloemen. Best wel een mooie vrouw, min of meer even oud als Liz. Sluik blond haar, dat aan weerskanten van haar gezicht naar beneden valt, gordijntjes voor haar borsten.

Ze geeft me de bos bloemen. Wat moet ik daarmee? O ja, natuurlijk, zo gaat het instappen makkelijker. Ik geef haar het boeket terug. Portier dicht en snel naar binnen voordat de mannen in de plexiglas koepel die loser in de smiezen krijgen. Niet dat ik de helikopter zie, maar ik hoor 'm wel. Hoe de rotorbladen de lucht aan repen snijden. Wild Bob verdwaald in het tussenbeense gebied van mijn wettige echtgenote. Wild Bob gemobiliseerd om een regiment spermatozoïden op te vangen. De eikel van die gast tegen de marineblauwe stof.

Ik geef gas en trek mijn conclusies. Een huis dat te koop staat en de bewoonster die naar een begraafplaats gaat met een bos bloemen. Haar man is overleden en nu kan ze zich het huis niet langer veroorloven. Toen je eenmaal had vastgesteld dat de handdoek Wild Bob was en het zaad daarin had ontdekt, wist je dat je ten dode was opgeschreven. Toch twijfelde je nog even over de juistheid van deze gevolgtrekking, omdat twijfelen nu eenmaal je specialiteit is. Was. Kon het niet je eigen zaad zijn, het zaad van de nacht tevoren? Nee, dat kon niet. Dat was uitgesloten. Zo lang blijft zaad niet vochtig, na een tijdje wordt het opgezogen door de doek, stolt het. Dit was tamelijk vers zaad, geen twijfel mogelijk.

Een zware geur vult de taxi, de geur van guave, hyacinten, aardbei en peer door elkaar gemalen, en ineens ben ik tussen haar armen, tussen haar borsten, ik adem in en Liz stroomt naar binnen, het sap van een rijpe guave, en mijn pik verdikt zich en in de achteruitkijkspiegel verschijnt het krijtwitte gezicht van een vrouw met blonde haren. Wild Bob rook naar schimmel en bedorven forel. Nee, je twijfelde helemaal niet. Geen seconde. Je brak. Meteen brak je. Doormidden. Als een boom die door de bliksem is getroffen. Ja, Wild Bob was het breekpunt.

Ik moet met haar praten. Anders red ik het niet. Ze wil vast haar hart luchten, het kan me niet schelen of mijn vragen impertinent zijn, uiteindelijk zal ze me dankbaar zijn dat ze de pijn weer wat richting heeft kunnen geven. De pijn die nu in haar rondkrioelt. De pijn die zich breed maakte in je toen je de geur en de glinstering van vreemd zaad waarnam.

'Het zal zeker niet meevallen om uw huis verkocht te krijgen? In deze tijden.' Mijn stem klinkt dun. Hij lijkt van ver te komen.

Ze kijkt naar de bos bloemen die ze naast zich op de bank heeft gelegd. Alsof daar het antwoord vandaan moet komen. Haar glimlach lijkt haast de hele binnenspiegel in beslag te nemen. 'Nee, dat klopt. Het staat al bijna een jaar te koop. Sinds mijn man van me is weggegaan. Ik bedoel heengegaan – zo zeggen ze dat toch? Hij heeft me in de steek gelaten. Hij had geen zin meer in mij. Nergens meer zin in hadie. Tja, dan houdt het op.'

Ze praat gedempt, met omfloerste woorden. Een doffe vrouw. Gelukkig niet zo'n weerzinwekkend levend wezen als de dokter. Ik kijk nog eens in de achteruitkijkspiegel. Bloedrood gelakte nagels schuiven het haar opzij zodat het niet voor de ogen komt te hangen. De ogen grijs met een zweem groen misschien. Groengrijs. Wild Bob was het breekpunt. Toen kantelde alles. Als je nu niks zegt, draait het stuur onder je handen vandaan. Als je nu niets onderneemt, is het *game over.*

'Ik ben op zoek naar een nieuwe woning', zeg ik heel hard.

'O. Is dat zo? Bevalt het u niet meer waar u woont?'

Wat te antwoorden op deze impertinente vraag? Nee, mevrouw de weduwe, mijn thuis is namelijk een huis waar alles te veel is, elke stoel, elke lepel, elk boek besmet door de aanrakingen van mijn vrouw, monsterachtig verzwaard door haar geur en door de woorden waarmee ze ooit al die voorwerpen heeft opgezadeld. Een huis vol fetisjen. Een behekst huis. Het enige wat dat huis nog kan redden, is een vuurzee.

'Het is zo dat... Mijn vrouw en ik zijn een beetje uitgekeken op die buurt. We zijn toe aan wat anders', zeg ik ten slotte.

'Waar woont u nu dan?'

'In wijk P. De Nijverheidslaan. Vlak bij de Kalkstraat.'

'O jee. Daar zou ik nog niet dood gevonden willen worden.'

Zegt ze dat expres? Om zichzelf te pesten of op de proef te stellen? Waarschijnlijk heeft ze haar eigen man dood aangetroffen in het huis dat ze nu wil verkopen. Bungelend aan een plafondbalk of liggend in een badkuip, met een schemerlamp in het lauwe water. En dan te bedenken dat alles nog daar is, daar waar ik nooit meer zal komen. De roze krulspelden, het oranje mondwater, de reinigingscrèmes, de vlekkenverwijderaar, de Soft Powder Blush, een flacon Care & Repair, een wasmand vol slipjes, krantenknipsels over de corruptie in de gezondheidszorg, een vakantieprospectus over Zuid-Afrika (een ideetje van hém?). Allemaal door haar achtergelaten. Er hangen zelfs nog wat overhemden van mij aan een droogrek. Voor eeuwig verkreukeld.

'Waaraan moet uw huis voldoen?' vraagt de weduwe.

'Het mag... het moet in geen enkel opzicht op mijn oude huis lijken.' Nee, ik kan niet meer terug, terug naar waar Wild Bob is. Terug naar de krulspelden en het mondwater.

'Misschien is mijn huis dan wel iets voor u. Erg duidelijk in uw verlangens bent u niet, maar de huizen in mijn wijk zijn in ieder geval totaal anders dan die van uw wijk.'

'Ja, misschien. Dat zou zomaar eens kunnen. Alles beter dan het huis waar ik nu woon.' Nu ik eraan denk... in het vriesvak van de koelkast ligt nog een trui van mij die ik daar heb neergelegd om de motteneitjes te vernietigen die in de stof zaten. Op aanraden van Liz.

'Wat dat betreft heeft mijn man het nog het best getroffen. Die heeft echt een goed heenkomen gevonden. Gezellig met zijn zussen en zijn grote broer ligt hij daar. Voor mij is er geen plaats meer in dat familiegraf. Mijn man kon er nog net bij. Niet zijn botten, maar zijn as. In zo'n bus, u weet wel.'

Opnieuw strijkt ze het haar uit haar gezicht. Liz zou daar wel raad mee weten, met dat futloze haar. Die zou er een feestelijk golvend kapsel van maken. Hoe heet dat ook alweer met een deftig, nee een technisch woord? Geonduleerd. Ja, geonduleerd haar. Deed Lizzie ook veel de laatste tijd. Dat slappe haar verbouwen tot feestelijke guirlandes. Vintage kapsels die ze van internet afkeek. Victory Rolls bijvoorbeeld. Twee cilinders van hoofdhaar zoals die in de jaren veertig door veel Amerikaanse vrouwen werden gedragen om steun te betuigen aan de vliegeniers die aan de andere kant van de oceaan hun toestellen een rolvlucht lieten maken na een succesvol bombardement op de nazi's. Zou ze dat soms vanwege die gast, ja zou ze dat vanwege die klootzak gedaan hebben? Dat urenlange getut voor een spiegel. Dat kunstig gekapte haar waarvan gisteravond niets over was. Doorwoeld door een vreemde hand. Doorploegd. Chaos Look. Alles ondersteboven, ook de kamer. In die kamer waar alles tot stilstand is gekomen. Als je daar binnengaat, bevriest het bloed in je aderen. Word je een stuk steen.

Daar op het bordes van het Muziekpaleis storten minstens tien duiven zich op iets onzichtbaars. Wat is het? Een dode soortgenoot? Een bedorven forel? Het liefst zou ik stoppen om erachter te komen. De duiven opzij schoppen en dan... Nee, dat wil je helemaal niet weten. Rij nou maar gewoon door. Zorg ervoor dat die vrouw haar bloemen kwijt kan. Dat ze zich kan verbeelden bij de man te zijn voor wie zij niet meer genoeg was. Niet meer genoeg om te blijven doormodderen.

'Weet u wat ik gisteren in de krant las?' vraagt ze. Ze wil praten, de pijn aanlengen met woorden. 'Dat bij een cremtie allerlei materialen niet vergaan. Zoals botschroeven, rugimplantaten en kunstheupen. Die hebben zo'n hoog smelt-punt dat ze het vuur overleven. Dat schijnt ook te gelden voor gouden tanden, horloges en trouwringen. Daar hebben ze mij niks van verteld toen mijn man werd gecremeerd. Die twee gouden tanden en de schroeven in zijn heiligbeen had ik anders best willen hebben. Maar ook al had ik het gewe-ten, dan had ik ze nog niet gekregen.'

'Werkelijk? Hoezo dan?' haast ik me te vragen.

'Alles wat achterblijft na de crematie, is res nullius. Alles behalve de as. Res nullius, dat wil zeggen: niemands eigen-dom. De handvatten van de grafkist, bouten, orthopedisch materiaal – allemaal res nullius. Dat wordt gerecycled. Daar maken ze windmolens van en vliegtuigen. En auto's.'

Haar stem komt steeds meer tot leven. Res nullius. Is Wild Bob res nullius? Je smeet hem weg, zoals je de smartphone had weggesmeten. De metalen die in het rond spatten. Ti-tanium onder andere. Heeft dat niet ook een uitzonderlijk hoog smeltpunt? Alles in dat huis is res nullius geworden. Van niemand meer.

'Het zou dus zomaar kunnen dat ik op een goeie dag in een taxi zit en dat dan de klink van het portier... dat daar een stukje van mijn man in zit. Dat ik op weg ben naar het graf van mijn man en dat ik hem bij het uitstappen aanraak, zon-der dat ik het weet. Een raar idee, niet?'

'Dat is... ja, dat is...' Ik slik. Die vrouw is... Die vrouw be-grijpt het. Wat het is. 'Ja, dat zou heel mooi zijn. Ik geloof dat u veel van uw man heeft gehouden. En nog altijd. On-danks...' Ik haper. Gisteravond deed je dat niet. Vannacht niet. Nadat je Wild Bob had ontdekt. Je brak en tegelijker-tijd, en toch, en juist daarom was je plotseling een en al vastbeslotenheid, wist je precies wat je te doen stond. Geen spoortje twijfel. Volle kracht vooruit.

'Ondanks dat hij mij in de steek heeft gelaten, wilt u mis-schien zeggen?' zegt de jonge weduwe. 'Ja, ondanks dat hij de laatste vijf jaar bijna elke dag dronken was. Ondanks dat hij al heel lang impotent was. Ondanks dat hij steeds weer zei dat ik niks meer voor hem kon betekenen, dat hij definitief op me uitgekeken was. Ondanks dat hij zich heeft opgehangen aan de pyjama van ons zoontje.'

Waarom vertelt ze me dit? Omdat ze ruikt, dwars door de bloemengeur en haar eigen parfum heen ruikt dat ik naar verlies stink? Ach wat. Misschien verzint ze het wel allemaal. Misschien is ze simpelweg een vrouw die op haar vijfendertigste het leven van een oude vrijster leidt. Al jaren geen man meer gehad omdat ze bang is zich te binden. Al jarenlang hunkerend maar nooit toehappend. En dus vertelt ze tegen elke wildvreemde het verhaal van de echtgenoot die zich verhing en gaat ze één keer per week naar het kerkhof om daar op het graf van een ongetrouwde man, steeds weer een ander, haar bloemetjes te leggen.

Ik rem. Dag nar, ben jij er ook nog steeds? Toeterende auto's op de voorrangsweg. Witte linten en strikjes aan antennes en portierklinken. Het bruidspaar heb ik gemist. Zaten die soms achter de getinte ruiten van die suv? De weduwe zal hier wel zo haar gevoelens bij hebben. De oude vrijster ook. De bruidsjurk van Liz paste amper in de auto. We zaten in een wolk, op een wolk. De chauffeur had niks aan de achteruitkijkspiegel, we konden alleen nog maar vooruit. Omhuld door triomfantelijk getoeter en roomkleurige tafzijde bolderden we de toekomst binnen.

Ik steek de Handelsweg over. Het getoeter sterft weg. Misschien had ik er ook beter aan gedaan de hand aan mezelf te slaan. Wild Bob om mijn hals en hoppa... Nee, dat zou praktisch gezien onmogelijk zijn geweest. De sporen van de liefdesdaad uitwissen, dat kon Wild Bob als de beste, maar als doodskoord schoot hij tekort. De sporen die afgelopen nacht echter onvoldoende waren uitgewist. Omdat je te vroeg thuiskwam.

De ruitvloeistof sproeit nauwelijks nog. Die is bijna op. De voorruit slibt langzaam dicht. Aan het einde van de dag zal verder doorrijden onverantwoord zijn. Onmogelijk. Dan moet ik achteruit. Terug naar de kroeg waar het allemaal begon. Waar ik haar voor het eerst ontmoette. Per ongeluk. Niet uit eigen beweging, maar omdat de demonen een dealtje hadden gemaakt.

'Hoe lang is het geleden? Van uw man?'

'Twee jaar, twee maanden en elf dagen. Op de laatste dag van het jaar gebeurde het. Op oudejaarsavond. We zouden naar vrienden gaan. Toen ik wegging om mijn zoontje naar mijn ouders te brengen had hij nog niks gedronken. Geen druppel. Dat had me moeten waarschuwen maar het maakte me juist zo blij. Het was kwart over zeven toen ik terugkwam. Ik riep hem, hoorde niks, riep nog eens. Eerst dacht ik dat hij tijdens mijn afwezigheid weer een fles whisky naar binnen had geklokt en nu bewusteloos op bed lag. Ik liep vloekend de trap op en opende de deur van de slaapkamer.'

Ik riep haar, maar ze hoorde niks. Vanwege de stofzuiger. Vanwege het extatische bloed dat door haar oren suisde. Ik trof iets anders aan dan ik verwacht had. Ik had het kunnen weten, als ik werkelijk van haar had gehouden, had ik het kunnen weten. Je denkt dat je je wederhelft kent, dat je na al die jaren feilloos weet wanneer er iets mis is. Maar in plaats van onraad te ruiken laat je je bedwelmen door het aroma van je eigenwaan, door het zweet van de gewoonte. Terwijl ik in mijn handen een stuur hield of een pen om in het rittenboekje de afstanden en de inkomsten te noteren, hoereerden haar vingers liefdes-sms'jes bij elkaar of ze frunnikten aan knopen, een rits, een bloedlul. Totdat zich ineens de stank van schimmel en bedorven forel aan me opdrong toen ik Wild Bob openvouwde, openscheurde. Totdat daar ineens haar echtgenoot aan de pyjama van hun zoontje bungelde.

'Het lijkt of u het zichzelf kwalijk neemt dat u het niet heeft zien aankomen. Dat moet u niet doen. Dat heeft geen enkele zin, dat...'

'Waar bemoeit u zich mee? Heb ik u soms om uw mening gevraagd? Wat er tussen mij en mijn man is geweest, daar heeft niemand iets mee te maken.'

De bloedrode nagels ploegen achterwaarts door het blonde haar. Kijk aan. Opeens walgt ze van zichzelf, van haar eigen loslippigheid. Ze wil compassie maar geen compensatie. Vanaf nu zal ze mij niet meer bij haar in de buurt laten – waar kennen we dat van? *Hard to get*. Liz in haar laatste fase. Ze was al afscheid aan het nemen en ik dacht dat het stress vanwege haar werk was. Vanwege het vrijwel niet meer in te dammen feitenmateriaal dat bleef opspuiten nadat ze de beerput van de gezondheidszorg had geopend. De corruptie die zo wijdverbreid bleek dat ze met geen pen te beschrijven leek. Woorden schoten tekort om het bedrog te definiëren. Je hebt je stem verheft, of is het verheven, hoe dan ook, je schreeuwde, schreeuwde dat ze niet zo moest krijsen, dat de buren niet hoefden te weten hoe zij de hoer had gespeeld, of wisten die het al, had ze niet alleen buiten de deur geneukt maar ook hier, ja natuurlijk had ze het ook in ons huis gedaan, Wild Bob wist er alles van, Wild Bob was de kroongetuige, wat een brutaliteit, wat een totaal gebrek aan... aan... om Wild Bob, uitgerekend Wild Bob te gebruiken voor die... voor dat... De woorden schoten door je mond, raakten kant noch wal, en toch was je zo lucide als wat, gebroken maar een en al helderheid en hartstocht.

Het haar van de weduwe moet opnieuw aan de kant worden geschoven. Een beetje *boosting mousse* zou geen kwaad kunnen. Of haarlak, uit zo'n gouden spuitbus. STERKE FIXATIE. Elnett Satin, als ik me niet vergis. Ook die staat er nog. EXTREMELY FLAMMABLE. De laatste maanden rook ons huis naar een kapsalon. Naar een hoerenkast.

Een paraplu heeft de weduwe niet meegenomen. Terwijl het elk moment weer kan gaan regenen. Misschien wil ze dat wel: doorweekt raken ter ere van haar overleden man. Gestraft worden omdat ze hem niet heeft kunnen vasthouden. Omdat ze hem moest laten gaan.

Ver is het niet meer naar Begraafplaats Noord. Zou ze nog iets zeggen voordat ze uitstapt om haar boetetocht te vervolmaken? Of volhardt ze in dit zwijgen? Je Facebookpagina updaten, je e-mail checken, de *preferences* van je Twitterfeed bijwerken en ondertussen je mond houden over wat er speelt. Over wat er aan de hand is. Pas toen Wild Bob haar verraadde, moest ze wat zeggen. Een verklaring afleggen. Met die tong van haar. De tong die even tevoren nog in zijn mond had geroerd, zijn ballen had gelikt, zijn eikel. Met dat leugenvlees.

'Wat vindt u daar nou van, van die taxichauffeur die dat bloedbad heeft aangericht?' wil de weduwe weten. Is dat soms geen bemoeizucht? Is dat dan geen ontoelaatbare inmenging in andermans zaken? 'Dat was niet bepaald reclame voor uw beroepsgroep, neem ik aan. Twaalf doden en minstens twintig gewonden. Wat bezielt zo'n man? Zomaar vanuit zijn taxi op willekeurige voorbijgangers schieten, wat een imbeciel. Eigenlijk ben ik gek dat ik nog een taxi neem.'

Het meest adequate antwoord zou zijn het dashboardkastje te openen, de .44 Magnum eruit nemen en op haar richten, zeggen dat ze haar waffel moest houden, en zo niet, dan zouden er represailles volgen, ja dan zou ze mogen hopen dat er in de buurt van het graf van haar man nog een plaatsje vrij was. 'Zoiets kan altijd gebeuren, mevrouw', zeg ik zo ijzig mogelijk. 'U weet misschien wel beter dan ik dat de mens tot de meest onverwachte dingen in staat is. Waarom hij het heeft gedaan, weet ik niet. Motief onduidelijk, volgens de politie. Voordat ze het hem konden vragen, had hij al zelfmoord gepleegd. En uw man, heeft die een briefje achtergelaten?'

Zo, die houdt voorlopig haar snavel. Nog vijf minuten en dan ben ik van haar af. Je wist precies wat je deed en waarom je het deed. Maar het gebeurde in een soort spergebied, in een andere tijdzone ook, en nu en vanaf hier is het zo goed als onmogelijk daar nog bij in de buurt te komen. Hooguit de feiten kan ik nog bij elkaar proberen te rapen, de stukjes smartphone, het broodmes met de kruidenboter op het lemmet, de donkerblauwe zaaddoek, de woorden die in het rond vlogen.

Het kruispunt over en dan langs de uitgebrande speelgoedwinkel. Al minstens drie jaar staat die er zo bij. Wat een stank gaf dat destijds. Maandenlang rook het naar gesmolten poppen en verkoolde knuffeldieren. Sowieso is deze straat klaar. Dat wil zeggen: opgedoekt. Opgedoekt en uitgepoept. Zoals ook jij, beste vriend.

Achter me klinkt geknerp. Vermoedelijk knijpt de weduwe in het rond de bloemenstruik gewikkelde cellofaan. De achteruitkijkspiegel vertelt het me niet. Die is nog druk bezig foto's te maken van de geblakerde speelgoedwinkel. Eigenlijk zou eenieder die gaat samenwonen camera's moeten installeren in zijn huis om er zeker van te zijn dat de wederhelft geen infiltranten binnenlaat. Opdat de woning verschoond blijft van ongewenste vingerafdrukken, lichaamssappen en haren. Opdat Wild Bob of Veronica niet ontheiligd worden.

Afremmen maar weer. In de file voor de ontslapenen. Mijn klant is niet de enige die op het idee is gekomen dode familie te bezoeken. Het is vandaag nabestaandendag.

Ik zou met haar mee kunnen gaan. Wat immortellen bij de kiosk kopen en die bij de mooiste tombe neerleggen en daarmee de rouw afleggen, genoeg gegriend om de vrouw die je hebt verloren. Of nee, beter nog: kijken of er nog ergens een kuil vrij is. Daar in gaan liggen. Wachten tot het duister me toedekt. Maar waarom, mijn wagen is al een mortuarium. Nee, nog een uurtje of twee en dan zit mijn dienst erop. Dan klopt het. Dan ben ik klaar met de wereld. Is de wereld klaar met mij.

'Als u wilt, kan ik u er hier al uitlaten. Vanaf hier bent u er te voet sneller dan wanneer ik u voor de poort zou afzetten. Met al dat verkeer.'

'Denkt u?' Ineens heeft ze drempelvrees. Ineens is ze bang om te behoren tot een van de vele honderden die iemand hebben verloren en die tussen de graven marcheren. Schiet nou maar op, anders zijn je bloemetjes dadelijk ook dood.

Ik parkeer onder een groepje bomen. De roodgelakte nagels graaien in een opgezwollen portemonnee. Het haar valt weer voor haar ogen. 'Laat maar zitten', zegt ze.

Aan nabestaanden geen gebrek vandaag. Aan afgestorvenen evenmin. Het wemelt er tevens van de zwijgende boodschappers die met versteende vleugels en bokkige blikken toekijken hoe er wordt gereddrerd met gieters, schuursponzen, takkenbezems en schoonmaakmiddelen.

Vanuit zijn stilstaande wagen registreert ook de taxichauffeur een en ander. Zijn ogen volgen de vrouw met het asblonde haar: in haar mantelpakje loopt ze door een met gevleugelde zandlopers bekroonde poort. Pumps op bemost grind. Een krimpende gestalte tussen afgebroken zuilen en gesluierde urnen van hardsteen.

De dodenstad bestaat voor de helft uit negentiende-eeuwse grafhuisjes, sommige met een afgebrokkeld kruis, andere met een ingang die is dichtgetimmerd of voorzien is van rafelige vitrage achter glas. Er zijn er ook met een bordje waarop OPGEGEVEN staat. In de meeste gevallen is dit bordje met ijzerdraad bevestigd aan de verroeste scharnier of klink van de toegangsdeur.

Bij één huisje is de vitrage tussen de deur gekomen – schalks wappert een deel van de gelige stof in de buitenlucht.

In verscheidene lanen staan kliko's in het gelid, hoekig en zakelijk, in afwachting van vergaan materiaal. In de laan met de praalgraven stinkt het naar oude pis.

Bij de meer recente zerken, veelal van slijtvaste en zuurbestendige steen en nog niet bedekt met mos en levervlekken, bevinden zich hoofdzakelijk vrouwen, die hun echtgenoten postuum eren met behulp van uitbundige boeketten, bederfwerende middelen, harkjes en dergelijke.

Niet ver van het grafmonument met de gehelmde doodskop (ter herinnering aan de bij de grote stadsbrand omgekomen brandweerlieden) staat op twee planken boven een grafkuil een doodkist, royaal beladen met bloemen. De bloemen zijn verdord en verschrompeld. Het hout van de kist vertoont de eerste tekenen van vermolming.

Het is bij deze plek dat de vrouw met het asblonde haar halt houdt. Alleen een engel van stampbeton en met een neutrale blik in zijn ogen ziet wat er gebeurt: de vrouw spuugt op de bloemenstruik die ze in haar hand houdt en werpt deze vervolgens op de kist. Dan draait ze zich om en loopt weg terwijl ze haar tong uitsteekt naar de engel.

14:06 UUR

Da capo. Ik sta voor de deur van een Victoriaans herenhuis. Je stond voor de deur van de woonkamer. Ik druk een paar keer op de claxon. Je klopte drie, vier keer op de deur. Geen reactie. Geen reactie. Mijn vuist doet pijn. Is dat omdat je daar gisteren mee tegen de muur sloeg? Wanneer dan? Na het gegons van de stofzuiger de ringtone van haar mobieltje. Na *Poker Face* het woehu-woehu van het sms'je. Na het sms'je het broodmes met de kruidenboter. Na het broodmes de handdoek. Na Wild Bob het geluid van een brekende man. Na dat geluid haar bekentenis en toen... Je komt steeds dichterbij – is dat wat je wilt?

Het zijn er twee maar het lijkt er één. Een tweekoppige klant. Op het ene hoofd prijkt een zonnebril, het andere is voorzien van twee oriëntaalse ogen. Een eeneiige tweeling die bij de motorkap van mijn taxi gescheiden wordt en op de achterbank weer samenkomt nadat de ene jongen aan de linkerkant is ingestapt, de andere aan de rechterkant. Allebei hebben ze zwart haar dat glinstert van de gel. Allebei dragen ze een capuchonsweater. De linker heeft een diamantje in zijn rechteroor, de rechter draagt hetzelfde glinsterdingetje in zijn linkeroor.

'We gaan naar onze moeder toe', zegt de een. 'Naar onze moeder gaan we toe', zegt de ander. 'Op de Vierwindenkade', verduidelijkt degene met de zonnebril. 'Nummer 25', vult de zonnebrilloze aan.

Koppeling omhoog, gaspedaal omlaag. *You move in time, but it's always back.* De taxi beweegt wel, maar zelf ben je niet vooruit te branden. *All the directions were wrong.* Een liedje van heel lang geleden, uit de tijd dat ik Liz nog niet kende. *You'll fall in love with somebody else tonight, tell me the words before you fade away.*

Misschien is die ene tweeling wel blind. Waarom zou hij anders met dit weer een zonnebril dragen? Vreemd trouwens dat tweeling zowel de twee uit dezelfde moeder geboren kinderen als ieder afzonderlijk van die twee betekent. Ik ben een tweeling, wij zijn een tweeling. Kan allebei. *She was my twin, but I lost the ring.* Uit een ander liedje. Had Liz een hekel aan. Daar hoeft ze in ieder geval nooit meer naar te luisteren nu we... God, wat heb ik het warm. Heb ik soms koorts? Een hand tegen mijn voorhoofd. Daarachter kolkt het. Zolang je je hand maar niet in je broekzak steekt. Ik trek de hand los. Alles aan mij plakt. De sok aan mijn voet, mijn schoen aan het gaspedaal, mijn horloge aan mijn pols, mijn billen aan mijn broek, mijn broek aan de stoel, de broekzak aan mijn bovenbeen, mijn woorden aan de frontale lob, mijn gedachten aan vannacht, vannacht aan vandaag. Eén kleverige massa waarin ik de afzonderlijke delen moet zien te herkennen. Wat er gebeurd is, van minuut tot minuut. Wie ik geworden ben, stap voor stap. Hoe het kan dat er bloed in mijn ogen komt zodra ik eraan denk, bloed in mijn mond komt zodra ik mezelf hoor praten tegen haar.

Er rollen woorden op me af. Een halfjaar, als je het zo graag wilt weten. *You reveal all the secrets.* Is het soms een collega van je? Wat vond jij van die vriendin van pa? Dit moet ophouden. Zeg ik nu, zei Liz gisteren. Het afval moet gescheiden worden, anders ga ik kapot. Systematisch gescheiden. Oké dan. Waar ben je mee bezig? Op dit moment, bedoel ik. Ik speel de taxichauffeur, toch? Van wie zijn die twee stemmen, de een helder en hoog, de ander donker en brommerig? Van de twee koningskinderen op de achterbank, als ik me niet vergis. De twee koningskinderen die ik naar hun moeder breng. In volle galop.

Ze hebben het over de vriendin van hun vader. Ja, nu kan ik aanklampen. Nu kan ik ze volgen. Behoort de bariton toe aan de jongen met de zonnebril of zit die bril op de neus van de contratenor? Doet er niet toe. Luister naar wat ze zeggen. De bariton vindt haar stom. De contratenor zingt de lof van haar. Dat ze een mooie mond heeft en grote borsten en geïnteresseerd is. De bariton meent dat die lippen en die borsten opgepompt zijn en dat ze een uitslover is. Het bekvechten. Het welles-nietesspelletje. Dat ze een hoer was. Dat ze geen andere keus had gehad omdat ik een kille man was. Dat ze al het vertrouwen tussen ons had vernietigd door een stom avontuurtje. Dat het geen stom avontuurtje was maar iets echts, iets dieps, iets wat ik haar al lang niet meer kon geven. Dat ze me een kans moest geven. Dat het daarvoor te laat was. Dat dit onmiddellijk moest ophouden. Dat ze ermee door wilde gaan. Dat ik zonder haar nergens was. Dat ik me niet zo moest aanstellen.

Ik zit nog steeds aan het stuur. Midden in het verkeer. Ik bepaal nog steeds waar we heen gaan. Sommige auto's hebben hun lichten al aan. In mijn hoofd is het een getoeter en opstopping van jewelste, maar ik rijd gewoon verder. Tegen het verkeer in als het ware. Op de brede trottoirs van Straat 54 hebben zich bedelaars geïnstalleerd. Om de tien meter zit er eentje. Die vreten elkaars marktaandeel op.

De tweeling zwijgt. Maar Liz en ik waren nog lang niet moegestreden. Ook al was je gebroken. Ook al wist je dat met elke uithaal de wond verder zou openscheuren. Je wilde weten of het een collega was. Nee, het was niemand van de krant. Cynisch informeerde je naar zijn unique selling points. Smalend antwoordde ze dat zijn grootste pluspunt was dat hij in niets op mij leek. Dat ze dankzij hem had begrepen dat ze jarenlang dood was geweest. Dood? Ja, hij gaf haar het gevoel dat ze er weer toe deed. Dat ze straalde. Een en al schittering was. Was dat wat er gezegd werd? Geef hier! Wie zei dat?

'Geef hier!' De koningskinderen zijn aan het stoeien. Ze proberen elkaar iets afhandig te maken. Een mobieltje? Nee, dat had je al tegen de muur kapot gegooid. De vaste telefoon soms? Omdat ze hem wilde bellen omdat... 'Geef op!' wordt tweestemmig geroepen achter mij. Omdat ze zijn hulp wilde inroepen. Omdat je niet van ophouden wist.

Ze trekken aan elkaars capuchonsweater, een linkerhand die in een rechterzak terecht probeert te komen, een rechterhand die iets uit een linkerzak wil halen. 'Hoeveel heeft pa je gegeven?' 'Hoeveel heeft pa jóú gegeven?' 'Zeg ik niet.' 'Dan zeg ik het ook niet.' 'Sukkel.' 'Eikel.'

'Zeg, heren, houden we het wel een beetje rustig? Mijn taxi is geen boksring.' Je zei: je legt die telefoon neer, jij belt helemaal niemand. De koningskinderen grinniken. Liz meesmuilde. Je kunt me niet tegenhouden, zei ze.

'Oké, we maken tegelijkertijd de envelop open en dan zeggen we het.'

'Oké, we maken de envelop open en dan zeggen we het tegelijkertijd.'

Ik hoor hoe enveloppen worden opengescheurd. De kimono die steeds weer openviel waardoor het geschoren schaamdeel in het oog sprong, steeds weer, waardoor je almaar woedender werd omdat je je voorstelde hoe de ander zich daar naar binnen gewurmd had. De gladde kut zag eruit als een naar adem happende vissenkop die aldoor opdook tussen de gelukstekens van de kimono. De lippen van de vis rond de eikel van zijn pik, telkens weer. Pathetisch. Zei ze toen je haar zei dat je leven geen zin had zonder haar. Dat je alles had opgegeven voor haar. Alles had achtergelaten daarginds.

'Hoeveel is het?' vraagt de bariton.

'Hoeveel is het?' vraagt de contratenor.

'Jij eerst.'

'Jij eerst.'

Je rukte de telefoon uit haar hand. Je liet je gaan. Ongelovig keek Liz je aan. Zo kende ze je niet.

'Wacht, ik weet het. Ik weet wat we moeten doen. We vragen het de meneer.'

'Ja, we vragen het de meneer.'

'Meneer, wilt u alstublieft tot drie tellen? En bij drie zeggen we het, oké?'

'Oké, bij drie zeggen we het.'

Ik tel tot drie. Precies dat zei je voordat je de telefoon uit haar hand rukte. Toch? Ik tel tot drie en dan geef je me de telefoon. 'Opgelet. Eén, twee, drie...'

'Driehonderd!' In plaats van te kijken welk nummer ze intoetste, rukte je de hoorn uit haar hand. Wat heb je met de telefoon gedaan daarna? Ik weet het niet. Heb je 'm in de pleepot gegooid? In de vuilnisbak? Of gebruikte je 'm als slagwapen? De jongen met de zonnebril is toch niet blind. Anders zou hij niet kunnen zeggen hoeveel er in de envelop zat.

'Twee keer driehonderd! Daar kunnen we samen een iPad van kopen!'

'Ja, een iPad kunnen we samen kopen van twee keer driehonderd!'

Ook al had je de telefoons, de mobiele en de vaste, onschadelijk gemaakt, er was nog altijd haar iPad. Waarmee ze hem kon e-mailen of een bericht sturen via Facebook, met hem kon chatten of skypen. En dan was er nog de vaste computer. Moest je die ook aan barrels slaan, moest je alles kapot maken om haar te kunnen behouden? Je begon met je vuist. Die sloeg je tegen de muur. Tegen dezelfde muur waartegen je de smartphone aan diggelen had gegooid. Waarom, brulde je. Waarom? De koningskinderen fluisteren elkaar beurtelings iets in het oor. Ononderscheidbare stemmen, onscheidbare stemmen. Undercoveragenten in mijn taxi. Als die ene niet blind is, waarom heeft hij dan een zonnebril op? Als je wist dat het onbegonnen werk was, waarom ging je er dan toch mee door?

Het verkeersbord op de vluchtheuvel is verbogen. Een ongeluk of moedwillige beschadiging? De pijl op het bord wijst naar boven. Ik raas erlangs.

Hun vader heeft hen rijkelijk bedeeld. Gulheid en een schuldgevoel gaan vaak samen. Vader probeert zijn ex-echtgenote kapot te concurreren. De tweeling vindt hem een toffe peer, ook al zien ze hem zelden. Juist omdat ze hem zo zelden zien. Aan Liz' materiële wensen kon ik zelden tegemoetkomen. Zullen we een eekhoorntje nemen? Koop je een achttiende-eeuws hemelbed voor me? Ik uitte praktische bezwaren, somde rationele tegenargumenten op, terwijl zij alleen maar wilde dat ik haar verlangen omarmde, meeging in haar dwaasheid. Het ging haar helemaal niet om de verwerkelijking van haar wensen. Zie ik nu. Nu het te laat is. Nadat zij ineens wél wilde dat een sprookje werkelijkheid werd.

'We gaan niet naar moeder, nee, we gaan naar de hoeren!' krijsen de koningskinderen, de bariton zowel als de contratenor. Het fluisterberaad is ten einde. Ze hebben zich bedacht, ze kiezen niet voor duurzaam vermaak maar voor vluchtig genot. Niet voor dataverkeer met een iPad maar voor geslachtsverkeer met een publieke vrouw. Wat ben je weer gevat, maar afgelopen nacht stond je met de mond vol tanden. Met tanden die zouden afbreken als je... Onzin. Je stond je mannetje, je deed wat je moest doen.

Je noemde haar een hoer. De tweeling wil weten wat een goede hoer kost. Hoe oud zijn die knapen helemaal? Moeder moet wachten, ze willen naar de hoeren. De dames van lichte zeden en hun tarieven zijn mij niet geheel onbekend.

Je zou kunnen zeggen dat ik een ervaringsdeskundige ben. Niet omdat ik een doorgewinterd hoerenloper ben maar omdat ik ze in alle soorten en maten in de wagen heb gehad. Zowel de bezoekers als de ontvangers. Zowel de schuldenaars als de schuldeisers. De verwelkte straatmadeliefjes die na hun werk terug naar wijk Q willen om daar in een woontoren tussen de kakkerlakken in slaap te vallen na eerst nog een shotje te hebben gezet. De heren-in-pak op zakenreis die met spoed naar een luxebordeel vervoerd willen worden om zich daar inclusief trouwring een kwart nachtje in te kwartieren. Sneue mannen die geilen op vrouwen die behalve hun kut niets prijsgeven. Dat ze hen niet op de mond mogen zoenen, maakt hun niets uit. Terwijl het samenspel tussen twee tongen het meest opwindende, meest duizelingwekkende, meest indringende, meest...

'Wat raadt u ons aan, meneer? We willen verwend worden. Is zeshonderd genoeg voor een beetje plezier?'

Ze willen het hele bedrag van pa erdoorheen jagen. Waarom ook niet? Wat heb je aan al dat behoedzame gedoe, aan al dat opsparen? Op een goeie dag zegt je vrouw dat je haar niet meer op de mond mag zoenen. Omdat je al die jaren zo braaf bent geweest. Met dat leugenvlees van haar zegt ze dat. 'Ik denk dat jullie in Club Strip & Sip wel aan jullie trekken komen. Daar hebben ze hele mooie meisjes die best wel een glaasje champagne met jullie willen drinken.'

'Hoezee, we gaan naar Club Strip & Sip', jubelt de contratenor. 'Hoera, we gaan naar de Sip- en Stripclub', juicht de bariton.

Keren dan maar. Ik draai rond het standbeeld van de Grote Generaal. Op zijn steek zit een duif te schijten. Vannacht draaide je rond Liz, briesend, brullend, jankend. Je was buiten jezelf. Van woede. Van wanhoop. Van angst. Al die gevoelens. Je wist niet wat je ermee aan moest, jarenlang had je ze niet gehad. Liz verfoeide je gelijkmoedigheid, bleek nu. Je gebrek aan hartstocht. Zo zei ze terwijl je overborrelde van de gevoelens. Zo ver was het dus gekomen. Zo ver was je heen. Je had jezelf niet onder controle en tegelijkertijd was je één brok besluitvaardigheid.

Club Strip & Sip op de Renbaanlaan. Daar gaan we heen omdat de tweeling wat kwijt wil. Zeshonderd voor twee gevulde condooms. Zie ons gaan over deze dwaalwegen. Een knoopje erin en dan prullenbakwaarts. Nooit meer zal ze me kussen. Met dat leugenvlees van haar. Niet zeiken nou, doorrijden. Door blijven rijden en niet verder dan de achterbank achterom kijken. Want voorbij de hoedenplank begint het domein van de houtworm, van de boktor, de made, de kakkerlak. Daar valt alles uit elkaar, blijft niets nog heel.

Ze fluisteren weer. Het zou verboden moeten worden. Niet alleen een rookverbod in de taxi maar ook een fluisterverbod. En een sms-verbod. Een algeheel verbod op mobiel telefoonverkeer. Beide telefoons waren onschadelijk gemaakt, meneer de minnaar kon steeds minder bij haar in de buurt komen. Wild Bob! Wild Bob moest verbrand worden! En het keukenmes, het keukenmes moest ontsmet worden. De gemeentelijke reinigingsdienst diende ogenblikkelijk te worden verwittigd, de hele woning was bezaaid met hoogst schadelijke sporen. Je draafde heen en weer, je hippocampus was volledig van slag.

Bij de kruising met de Circusweg rechtsaf. Die jongens moeten aan hun trekken komen. Het leven leren kennen. Waar wil je helemaal heen, jij? Met je borsten, je buikje, je retrokapsel, met je koosnaampjes, je omhelzingen, je weetjes, je herinneringen? Wil je dat allemaal meenemen? En je moddermaskercrème, laat je me achter met je moddermaskercrème? Heb ik dat gezegd, half huilend gezegd? Nee, het was Liz die huilde.

Wat zijn ze daar aan het doen? Onder die tent aan de rand van de weg? Aha, de bekende groene kabels. Toe maar, zelfs op zondag wordt nog gewerkt aan het verbeteren van de communicatie. Ja, het was Liz die huilde. Waaruit ik hoop putte. IJdele hoop. Zoals elke hoop per definitie ijdel is. Niet om mij huilde ze, om wat ze mij had aangedaan, maar om al die jaren die ze met mij verkwist had. Toen je dat begreep, toen... Ja, toen wat? Nou? Het bloeden zal pas ophouden als de gebeurtenissen tot een verhaal zijn gestold. Wat? Wat zeg je daar? Welk bloeden?

De nar werkt me op m'n zenuwen. Dat onuitstaanbare gerinkel. Dadelijk bij Club Strip & Sip gaat-ie het raam uit. *Addio pagliaccio*. Schoon schip maken.

Ik passeer de Nationale Militaire Academie. Moeilijk te zien naar welke kant die vlaggen wapperen. De gekruiste wapens hebben verdomd veel weg van gekruiste knekels. De tweeling voert topoverleg op mijn achterbank. Nemen ze er één en zijn ze bezig het territorium te verdelen? Of gaan ze voor twee meisjes en bespreken ze nu na hoeveel tijd ze zullen wisselen? Wild Bob onteerd. Liz in dat halfjaar mogelijk tientallen, honderden keren volgespoten door die gast. Wie weet heb ik nu en dan in zijn zaad rondgesparteld. Dat wil je allemaal niet weten. Dan word je gek. Zoals vannacht. Omdat je het vroeg, omdat je alles wilde weten. Wat zei ze dan? Heeft ze dat allemaal gezegd? Om je weerstand te breken, om je van elke illusie te beroven. Als jij mijn smartphone kapot maakt, maak ik jou ook kapot. Zou Club Strip & Sip wel open zijn op zondag? Bovendien is het nog niet eens avond. Misschien heb ik die knapen wel met een dode mus blij gemaakt. Dan is ons vluchtplan waardeloos.

De ene tweeling zegt: 'Ik hoop dat ze ook anaal doen.'

De andere tweeling zegt: 'Ik heb niks met anaal.'

'Dat is dan mooi geregeld, jongens. De een pakt haar van voren, de ander van achter.' Dat zeg ik. Naar alle waarschijnlijkheid zeg ik dat, de chauffeur van de drieduizenddriehonderdnegenennegentig met driehonderdduizendhonderdelf kilometer op de teller.

Achter mij lachen de koningskinderen. Ze verheugen zich op wat komen gaat. Waarom wilde ze mij niet meer? Dat wilde ik weten. Terwijl het al lang duidelijk was. Maar ik wilde het nog eens horen, ik wilde haar kunnen haten, uit alle macht wilde ik haar kunnen haten. En ze verklaarde dat ik een angsthaas was, een schijtluis als je het zo graag wilt weten. Je houdt iedereen op afstand, zelfs de vrouw van wie je zogenaamd houdt. Je kunt je nooit eens laten gaan, je nooit eens laten meeslepen, alles wat je doet, is vrijblijvend. Precies die woorden sprak ze. Ja, de dialoog kristalliseert zich steeds meer uit, de verhaallijnen tekenen zich steeds scherper af. Stuk voor stuk raken ze ontward in mijn hoofd. De koningskinderen willen weten of de koetsier ook weleens in dat huis van plezier is geweest.

'Nee, jongens, ik heb mijn vrouw eeuwige trouw gezworen toen ik met haar trouwde.'

Ze grinniken, de nakomelingen van een gescheiden ouderpaar. Elk woord van haar was een stroomstoot die me door elkaar schudde. Die me tegelijkertijd opblies en oplaadde. Ik was een hoopje ellende dat barstte van de dadendrang. Je liep op haar af met één open en één gesloten hand. En zij wachtte je op met één vroom en één duivels oog. Het is fantastisch om eindelijk weer eens verliefd te zijn, sprak ze. Waren dat de woorden die je naar haar toe trokken, die je voortranselden? Of zei ze dat toen je hand al rond haar hals sloot, zoals meer dan eens gebeurd was omdat ze dat lekker vond, omdat ze daar nog een restje hartstocht in bespeurde, in die hand die haar bedreigde?

Misschien dat de meisjes van Club Strip & Sip voor het bedrag van één iPad ook wel aan wurgseks doen.

Een jongen op een skateboard steekt over. Zonder te kijken, lijkt het. Ik moet een ruk aan het stuur geven om hem niet te raken. De tweeling vindt de skater een sukkel. Met een potje wurgseks dacht je haar terug te winnen. Belachelijk. Ze was in je macht, ze kon geen kant op terwijl zijn zaad al korst werd in de donkerblauwe handdoek, een korst die verkruimelde. Dacht je. Maar in dat duivelse oog van haar glinsterde de geilheid onbekommerd verder, niet om jou, niet vanwege je nu eens knijpende en dan weer ontspannende hand, zoals je aanvankelijk dacht, maar om wat er eerder op de avond was voorgevallen en ook daarna nog zou gebeuren buiten je bereik, zo begreep je toen je haar weer losliet en ze meteen hijgend zei dat ze het heerlijk vond om door een man begeerd te worden die ook passioneel was buiten het bed. Waardoor de duisternis terugkeerde. Het bloed in je aderen weer zwart werd. Passioneel. Dat woord had je nooit eerder van haar gehoord. Had je sowieso nog nooit gehoord. Dat was een nieuw woord. Geïmporteerd uit een vreemd gebied. Uit een verboden zone.

'Hebben we geen stropdas nodig om daar binnen te komen, meneer?' Nu heb ik het gezien: de contratenor hoort bij de zonnebril. Of andersom.

'Als jullie de portier een tientje geven, zal hij niks zeggen. Dan mag je zelfs met die zonnebril op naar binnen.'

Met wurgseks probeerde je haar om te kopen maar het haalde niks uit. Integendeel, het maakte je positie nog onhoudbaarder. Het zoveelste bewijs was geleverd: ik was volstrekt emotioneel gehandicapt. Aldus Liz. Aldus Liz bij monde van haar minnaar. Ja, van wie anders kon die nooit eerder gebruikte classificatie komen? Emotioneel gehandicapt. Aldus luidde het vonnis van de gevoelsmens. Van de passionele man.

Dat die vingers rond het stuur dezelfde vingers zijn die haar hals omsloten. Dezelfde vingers ook die even later haar tong vastgrepen.

De tijd tikt. Vooruit voor de tweeling, achteruit voor mij. Maar zodra die twee Club Strip & Sip zijn binnengegaan, begint ook voor hen het terugtellen. Het aftellen.

Midden op de middag tasten mijn koplampen het asfalt af. Een donkere dag. Een dag om nooit te vergeten. Voor de koningskinderen die naar de hoeren gaan. Voor de koetsier die naar de haaien gaat.

Aarzelend stappen de tweelingbroers de schemerige ruim-te binnen. 'Een relaxte gast, die taxichauffeur', zegt de een. 'Ja, een toffe peer, onze koetsier', zegt de ander. De seksclub ruikt naar chloor. Het snotkleurige water van het zwembad wordt weerspiegeld in het chroom van de barkrukken. Be-hoedzaam, ervoor wakend dat make-up noch kapsel vochtig wordt, zwemt een naakt meisje in de richting van een cham-pagneglas dat op het punt staat naar de bodem te zinken. Even later vist ze ook nog een rubberen huls op.

Vanuit haar perspectief valt te zien dat er een rat langs de met rood fluweel beklede toog snelt, onder de naaldhak-ken van de prostituees en de zolen van drie paar herenschoe-nen door. Ook neemt ze twee identiek uitziende jongens waar die niet ver van de ingang staan, maar ze vermoedt dat het om een drogbeeld gaat. Tenslotte hebben ze haar al onverant-woord veel champagne laten drinken.

Het meisje zet het glas (met daarin het verfrommelde rub-bertje) op de rand van het zwembad. Wanneer ze aanstalten maakt om zelf het bassin te verlaten, wordt een nieuw ding in het water gegooid. Het is een half opgebrande Romeo y Julie-ta, die zo-even nog triomfeerde tussen de lippen van een man in krijtstreepkostuum. Zo snel mogelijk draait het meisje zich om en met een paar vermoeide slagen bereikt ze de sigaar. Ze heeft hem nog niet op de kant gelegd of drie meter van haar vandaan ploft een barkruk in het zwembad.

Met zichtbare moeite slaagt ze erin de zetel voor zich uit te duwen, richting de bar, die evenwijdig loopt aan een van de lange zijden van het zwembad. Een ander meisje helpt haar de kruk uit het water te krijgen. Op hetzelfde moment klinkt een oorverdovende knal, gevolgd door gerinkel, ge-gil, geschater. Opfladderende japonnetjes van geïncrusteerd kant. Roterende mannenkonten op krols piepende barkruk-ken. Dan een keiharde plons, samengesteld uit honderden plonsjes.

Ook de tweelingbroers hebben hun hoofd in de richting van het kabaal gekeerd. Als replica's van het standbeeld van een verwonde gladiator staan ze naast elkaar, niet ver van de bar, met krijtwit gelaat.

Midden in het zwembad drijft een kroonluchter als een reusachtige verminkte schijfkwal.

Verbijsterd staart het meisje naar die dreigende glinsterende substantie. Haar kapsel is doorweekt, haar hand die op de rand van het bassin ligt, trilt. Bruusk draait ze haar hoofd een kwartslag, er staat iemand op haar hand. Het is de man in het krijtstreepkostuum, hij kijkt op haar neer, een revolver in zijn hand. Met zijn andere hand trekt hij de rits in zijn kruis naar beneden. Hij spert zijn mond open, wijst ernaar met de revolver. Het meisje opent eveneens haar mond, zo ver mogelijk, en niet lang daarna klatert een straal urine in die donkere holte.

14:27 UUR

Buitengewoon onnadenkend. Wat je hebt gedaan. Nu. Toen. Twee onbedorven knapen, maagd waarschijnlijk nog, afgeleverd bij een louche club waar het stinkt naar vrouwenhandel en machtsmisbruik in plaats van hen terug te brengen naar hun moeder. De hals van je geliefde dichtgeknepen in plaats van haar in je armen te nemen. Seks in plaats van liefde. Of is dat moralistische onzin? Misschien verstikt die moeder haar zoontjes wel met haar liefde en kunnen ze op kosten van hun goedmoedige vader eindelijk eens opgelucht ademhalen in de armen van een sensueel meisje. Misschien is die zogenaamde verliefdheid van Liz in feite niets anders dan overweldigende geilheid omdat die gast zo'n grote pik heeft.

De helikopter cirkelt weer boven de stad. Hoe het gegaan is, dat willen ze weten. Alsof je dat kunt weten – nou ja, het is gegaan zoals het gegaan is, zeg ik dan maar, misgegaan in feite, ernaast gegaan, ja.

Ik ben al de hele dag op zoek naar onschuld, besef ik ineens.

Nou jongens, wat ik gisteravond toch heb meegemaakt! Dat zou je kunnen zeggen. En vervolgens verzin je een verhaal. Spin je verhaaldraden van de nevelflarden. Een spannend drama met clou en al.

Ik heb haar onbereikbaar gemaakt en daarom kan ik weer van haar houden. Daarom haat ik haar niet meer.

De lantaarnpalen hebben nog niet begrepen dat het hartstikke donker is. En dat op klaarlichte dag. Nog niet eens drie uur. Maar de rest van het Cinemaplein beseft wat er aan de hand is. Lichtgevende teksten en fluorbuizen tegen de gevels. Overal deinende lichtjes, aanstekers die me toezwaaien. Nog even volhouden, je bent er bijna! Voor de bioscoopbezoekers is het wel zo prettig, die donkere wolken. Hoeven hun ogen niet te accommoderen, kunnen ze nog een beetje in het verhaal blijven hangen waarin ze zijn ondergedompeld. Kunnen ze verdergaan met zwijmelen of de nachtmerrie in alle rust reconstrueren. Wie wat deed en waarom. En waarmee. En hoe de dodemansrit eindigde. De kofferbak inmiddels een aquarium boordevol bloed. Lekkend glijdt de auto door de bochten. Het bloed zit achter de moordenaar aan. Het bloed is een vuile verklikker.

Gewoonlijk is om halfdrie de matineevoorstelling afgelopen. Lang kan het niet meer duren. Van het ene verhaal in het andere ben je gestapt. Van je huis in je auto. En karren maar. Niet meer omkijken, Orpheus. Van de nar heb ik me alvast bevrijd. Die ligt in de goot bij Club Strip & Sip.

Het knerpt. Het kriept. Knarst. Als dat geen tram is. Een reuzensprinkhaan op zijn dak. Een bidsprinkhaan. De antennes friemelend aan de stroomdraden, de voorpoten ogenschijnlijk in rust. Met die krachtige vangpoten klampt het mannetje zich aan het vrouwtje vast tijdens de paring. Klampt hij zich vergeefs vast. Want weldra rolt zijn kop. Ja, weldra vreet het vrouwtje haar weldoener op, onthoofdt hem. Soms al tijdens de paring. Vaak meteen erna. Niet alleen een lekker hapje maar ook bouwstoffen noodzakelijk voor de aanmaak van eieren. Hoe zat het ook alweer? Worden sommige mannetjes niet zelfs seksueel actiever nadat hun kop eraf is gebeten? Ja, ze maken hun karwei gewoon af. En andere mannetjes, die ongemoeid worden gelaten tijdens de bevruchting, vluchten niet na gedane zaken maar blijven op het vrouwtje zitten om te voorkomen dat een ander mannetje er eveneens zijn sperma loost. Of voorafgaand aan de paring brengen ze het vrouwtje een prooi om zo hun eigen lijf te redden. Had ik ook moeten doen. Liz met attenties overladen, met koosnaampjes, met seksspeeltjes, met snoepreisjes – zodat ze zich onmogelijk tegen me kon keren.

Daar komen ze. De toeschouwers. De happy end-verslinders. De feelgoodfuckers. De thrilleristen. Stap in en vertel me wat je hebt meegemaakt. Laat maar eens horen of het spannender is dan mijn verhaal. Door de stand van hun mond, hun oogopslag, hun manier van lopen zou je moeten kunnen zien wat voor film ze bezocht hebben: een romantische komedie, een actiefilm, een kostuumdrama, een western of een roadmovie. Zou je aan mij kunnen zien in welke film ik vannacht verzeild ben geraakt?

Een glimmende schedel zweeft mijn taxi binnen. De achterbank knarst. Kan dat? Zo dik is hij toch niet. De twaalfde klant. Hij buigt zich voorover, zijn handen omvatten de hoofdsteun naast mij. Wurgen is een kunst. Hij draagt wielrenhandschoentjes. Het leer reikt niet verder dan de eerste kootjes. Wat moet iemand met wielrenhandschoentjes in de bioscoop? Misschien heeft hij eczeem. Hij zegt dat hij naar de Vooruitgangstraat moet. Waar is trouwens zijn ringvinger? Daar is alleen maar leer, geen vlees.

Hij trekt zich terug. De binnenspiegel vertelt me de rest: een gezicht waar van alles uitpuilt – mond, ogen, neuspunt, wenkbrauwen. Kunnen wenkbrauwen uitpuilen? Hoe dan ook, een uitpuilend mens. Die kale kop glanst zich rot. Glanskop. Een kolossale eikel op een nek.

Ik pak het stuur vast, met beide handen. Om me heen kantelt en klapt alles weg en onder mijn voeten vervlokt de straat. Maar zelf ben ik niet vooruit te schoppen, een massieve zwerfkei die een graf afsluit. Het was noodzakelijk wat je hebt gedaan. Gruwelijk maar noodzakelijk. Wie zei dat ook alweer? De uitvinder van de atoombom? Een landelijk bekende pedofiel? Een jihadist?

'Naar wat voor film bent u geweest?'

'Naar *Shame*.'

'Gaat dat niet over zo'n seksmaniak?'

'Over iemand die aan seks verslaafd is, ja.'

Met onze seks was niks mis. Ze kwam bijna altijd klaar. Echt niet alleen als ik haar strottenhoofd dichtkneep. Nee, daaraan kan het niet gelegen hebben. Beide handen rond haar hals. Niet met één hand, niet om je macht en hartstocht te demonstreren, zoals eerder, maar uit onmacht. Omdat ze had gezegd dat het voorbij was. Omdat je haar niet langer kon vasthouden. Je hield haar vast, met beide handen vast, omdat je haar niet kon vasthouden. Liz was dol op paradoxen. Dat hadden we met elkaar gemeen. De paradox verbond ons. Maar nu staarde ze naar me met een linkeroog vol minachting en spot. Eerst de smartphone, toen je vuist, daarna haar hoofd. Tegen de muur. Dat oog moest bekeerd worden.

Daar is-ie weer, boven het Plein van de Democratie. De gemotoriseerde libel. De duizenden facetjes van de ogen beloeren me, van alle kanten word ik gemonsterd. Ze wist zich los te rukken, scheldend liep ze naar de slaapkamer, trok haar laarzen aan. De libel staat stil in de lucht, de vier geaderde vleugels hakken de hemel aan stukken. Misschien heeft die gast op de achterbank er wel mee te maken. Misschien staat hij met hen in contact. Is hij hun handlanger.

Ik sla af. Dit is niet de kortste route, dat zal hem verrassen. Doe alsof je van niks weet. Alsof er niks gebeurd is. 'Wat vond u ervan, van die film?'

'Ik vond het een rotfilm. Een moralistisch verhaal. Waarom mag een man niet gewoon ongeremd van seks genie-

ten? Waarom moet hij nou weer een klotejeugd hebben gehad? Waarom moet hij een labiele zus hebben die hem een
schuldgevoel bezorgt omdat hij zijn pik achterna loopt in
plaats van haar te helpen?'

De neusgaten van die gast zien eruit als grafkuilen. Als ik
me nu omdraai, sta ik oog in oog met de dood. Pathetisch,
zei Liz. Maar dat was veel eerder, nog voordat je haar hoofd
tegen de muur had geslagen, nog voordat ze zich had losge-
rukt en haar laarzen aantrok om weg te gaan. Naar hem te
gaan. Naar de anonieme man.

Libellen kunnen ook achteruitvliegen.

Misschien is die kaalkop zelf wel een seksmaniak. Geen
medewerker van de helikopterpolitie maar zo'n vent die
constant moet klaarkomen om te bewijzen dat hij bestaat.
Weet je nog toen Liz die seksboekjes van je vond? Die lagen in een koffer te verpieteren, de tijd dat ik me aftrok op
andere vrouwen dan Liz was al lang voorbij. Maar dat wilde ze niet geloven, ze voelde zich verraden, ze begreep niet
waarom ik niet genoeg aan haar had. Alsof zij nooit eens
fantaseerde dat ze door een hele hoop kerels in al haar gaten genomen werd? Nee, dat was anders, die kerels hadden
niet eens een gezicht en ze was niet speciaal naar een winkel gegaan om ze aan te schaffen. Verbranden moest ik al
die glossy lijven, die papieren glimlachjes. In haar bijzijn.
De vlammen vraten aan al die volmaakte welvingen, ver-
minkten de siliconenborsten, maakten zwarte gaten van de
Playboy-poesjes.

'Dus als ik het goed begrijp, gelooft u niet dat seksversla-
ving een probleem is?'

Daar zijn ze weer, de wielrenhandschoentjes. De zwetende schedel op nog geen halve meter van me vandaan. 'Ik ben
een hedonist. Ik geloof in vrije liefde en maximale speel-
ruimte voor het libido. De meeste huwelijken gaan kapot
omdat man en vrouw elkaar als exclusief bezit beschouwen.

Het is onnatuurlijk om je verlangens maar voor één persoon te reserveren. Zoiets kan nooit goed gaan.'

Hij heeft de stem van iemand die denkt dat hij de waarheid belichaamt. De stem van een gelovige. Een elektrische stem.

'Dus iedereen moet er gezellig op los neuken en dan komt alles goed. Is dat wat u zegt?'

'Nee, dat bedoel ik niet. We moeten wel respectvol met elkaar omgaan. Elkaars vrijheid kunnen accepteren. En je moet passioneel zijn. Als het maar echt is wat je doet. Alles wat echt is, kan niet verkeerd zijn.'

Het kriebelt. Hij heeft toch niet in mijn nek gespuugd, hè? Met dat geblaf van 'm. Passioneel. Waar hebben we dat eerder gehoord? Passioneel... Verdomd, vannacht ja. Liz die me dat nooit eerder gebruikte woord in het gezicht slingerde. Dat ik niet passioneel genoeg was. En emotioneel gehandicapt. Zou me niet verbazen als die gast daar dadelijk ook mee komt aanzetten. Dat de meeste mensen emotioneel gehandicapt zijn. Wat zit-ie nou te kijken? Met zijn brandende ogen. Ja, hij kijkt naar Liz, die gore kaalkop. Dat fotootje interesseert hem, die vrouw zou hij ook weleens zijn onbegrensde libido willen schenken. Zijn eikelkop tussen haar benen. Zijn passionele voelsprieten rond haar heupen. De halve ringvinger in haar kont. Vrije liefde. Liz wilde niet meer van mij zijn. Wilde mijn handen niet meer rond haar hals. Mijn halfslachtige handen. Ik hoor haar lopen, haar rusteloze stap, haar krakende laarzen, een hert dat door het huis rent, pijlen in de huid, ze wilde naar buiten, weg wilde ze. Naar hem. Naar de eikelman. Naar die gast met zijn uitpuilende ogen. Met haar laarzen. De laarzen die kermden en kraakten. Het bonzende bloed in haar voeten. Dat verdoemde bloed. Dat woeste bloed. Wat zit je nou te kijken, man? 'Valt er wat te zien?'

'Wat? Nee, ik probeer me te oriënteren. In deze buurt ben ik nog nooit geweest. U kent toch wel de weg, hoop ik?'

Kletskoek. Je probeert je te oriënteren met Liz als kompas, oplichter. Zes maanden lang heeft Liz tegen me gelogen. Heeft ze achter mijn rug om ons leven steen voor steen afgebroken. Ik hield haar tegen, dit moest stoppen, het gekraak van de laarzen dreef me tot waanzin. Met het mes in de hand hoopte ik weer greep op de situatie te krijgen. Het mes waarmee ze stukjes stokbrood had gesneden om aan hem te voeren. Om hem te behagen.

'Meneer?... Waar brengt u me heen? Volgens mij rijdt u verkeerd.'

'Geen zorgen, makker. We gaan goed. We gaan helemaal goed. We gaan naar waar we wezen moeten.'

Een geregeld leven wilde ik en heb ik gekregen. En zie mij nu eens, zie deze flipperbal. Ja, de libel ziet het, de libel met zijn kalme vleugelslag. Ziet hoe je haar bij de haren pakt – de gelukstekens op de kimono sidderen, de Lang Leven-karakters verbrokkelen. Even wordt alles onleesbaar, maar daar verschijn je weer, je handen zwaaien, zoeken, het mes is weg, ah, daar is het, op de grond. Het rebelse mes. Op de grond en op het aanrecht. Het gespleten mes.

Kom tot rust, kom tot jezelf. Nee, niet jezelf. In godsnaam niet jezelf. De kaalkop zakt terug. Terug op de beklaagdenbank. Passioneel – dat zei meneer toch zojuist terwijl mijn wettige echtgenote exact diezelfde term gebruikte vannacht? Ja, probeer je onschuld maar eens te bewijzen, mannetje. Probeer maar eens aan te tonen dat je gisteren niet op de bank naast mijn vrouw zat. Naast de vrouw die mij de seksboekjes liet verbranden. Omdat ze alleen van mij was. Omdat ze de enige was. Zegt ze van wat moet je. Zeg ik wat zeg je. Wat zeg je met dat leugenvlees van je, zeg ik. Met die gespleten tong van je. En voordat ze kan antwoorden, knijp ik haar keel dicht. Kneep je haar keel voor de derde keer die nacht dicht. Terwijl ze op de grond lag, je knieën op haar bovenarmen, je duimen op de twee halsslagaders.

Het mes vlakbij. De kimono schaamteloos open, de tepels vreemd genoeg hard. Harder dan ooit.

Ik heb orde op zaken gesteld in mijn huis en daarna heb ik mezelf opgeborgen in deze auto, dat is het. Zoals je een pistool wegstopt in een la nadat het zich heeft geuit.

Dat zijn bouwketen daar buiten. En zandhopen. En brokken beton. Kiepwagens. Ideaal voor het vervoeren van los materiaal. Goed zo, focussen. Wat nog meer? De kleur van mijn taxi is blauwgrijs. Nee, loodgrijs. Zoals de hemel. De libel daarin. Die heeft samengestelde ogen, bestaande uit circa tien- tot vijftienduizend facetjes. Dat weet ik toevallig. Nee, niet toevallig. Ik ben niet zomaar een taxichauffeur. Ik was een leraar. Totdat ik mijn huidige vrouw tegenkwam. Correctie, mijn ex-vrouw. De vrouw die je vannacht het ademen hebt ontnomen. Wat zeg je daar? Focus je op het heden, beste vriend. Op de bouwketen. De kiepwagens. Op de tegenliggers. Op wat op je afkomt. De teller telt, de wielen draaien, de ruiten laten beelden door en ik rijd een klant weg. Tot zover is alles duidelijk en functioneel. Alleen de kofferbak doet niet mee, verzaakt zijn plicht. Daar wordt een heel ander verhaal verteld, nietwaar Liz?

Het schijnt dat mensen die voor de trein springen in de allerlaatste seconde van hun leven hun blik op de machinist richten. Als een pistool op hem richten. Zo keek Liz vannacht ook. Naar jou. Zo zal hij dadelijk ook naar mij kijken. De twaalfde. De hedonist. De halfringvingerige. Voordat hij in zijn eigen zwaard valt. Het zwaard waarmee hij mijn vrouw heeft gekloofd. Heeft doorboord. Haar hart evenzeer als haar... Zijn zwaard in haar schede. Een ridderroman. Liz was verzeild geraakt in een ridderroman, ik in een noodlotsdrama. Als zij sliep, kwijlde ze. Zo was het toch, Liz, je kwijlde op je kussen terwijl je droomde van de roofridder op zijn zwarte paard.

Bij het gegons van de helikopter voegt zich het gegil van sirenes. De sirenes doorvlijmen de middag. Bliksemen door mijn hoofd. Natuurlijk, dat ik daar niet eerder aan heb gedacht. Het is zonneklaar: ze zoeken niet mij, maar de crimineel op mijn achterbank. De echtbreker. Geen nood, mensen, het recht zal zegevieren. Op de stoel van de rechter zit het slachtoffer. Het bewijs is bijna geleverd. Allebei haar ogen smeekten nu om genade. De spot aan barrels. De smartphone aan barrels. De gebroken man boven op de echtbreekster. Knijpend of zijn leven ervan afhing. Onomkeerbaar schokte ze richting stilstand. Ze gakte. De domme gans. Ze tjilpte steeds zachter. Een kanarie die in een mijnschacht wordt neergelaten. Net zo lang tot het ademen stopt. Tot het zingen ophoudt.

Hé, waar gaat dat heen? Het stuur glipt onder mijn handen vandaan. Quo vadis, *baby*? Nee, nee, jij gaat nergens heen, jij blijft bij mij. Ik ben de baas, meer dan driehonderdduizend op de teller en nog nooit een ongeluk gehad. Zwijgen zul je, voor altijd zwijgen. Aldus sprak het mes. Het mes dat vlakbij op de grond lag. Het mes waarmee ze stukjes brood voor de kaalkop had afgesneden. Om in zijn uitpuilende mond te stoppen. Het mes dat zich verraden voelde. Dat om wraak brulde. Dat plotseling in je hand sprong.

Nu rust het in vrede. Nu het zijn gelijk heeft gehaald, ligt het weer vredig op het aanrecht. Het rebelse mes.

Gruwelijk maar noodzakelijk. Ze ademde niet langer en toch was ze nog niet geheel onschadelijk. Nog niet volmaakt zuiver. Met dat leugenvlees in haar mond. Op basis van de huidige getuigenissen kan de eikelman nog niet achter de tralies worden gezet. Er ontbreekt nog een essentiële aanwijzing. Rats, zei het mes. Of toch niet? Is hij het toch niet? Terwijl je het deed, ontstond er kortsluiting. Kortsluiting in je kop. Stroomstoten door je scrotum. Inderdaad, alsof je klaarkwam. Hoe het precies ging, weet ik dus niet meer. Het ontging je hoe het ging. Geen rats, waarschijnlijk. Met één hand hield je het leugenvlees vast, trok je het strak, en met de andere zaagde je het los. Ja, het moet eerder een zagende beweging zijn geweest. Zo'n gekarteld mes is niet geschikt voor het snelle ratswerk.

De eikelman houdt zich gedeisd. Hij weet dat alles wat hij zegt tegen hem gebruikt kan worden. Eén druppel bloed bevat tweehonderdvijftig miljoen bloedcellen. Dacht je dat toen de afgesneden tong in je hand lag? Bij een ejaculatie komen tussen de honderd en tweehonderd miljoen zaadcellen vrij. De kut van een vrouw is een massagraf. Doe niet zo pathetisch. Dat kon ze niet meer tegen je zeggen. Dat kan ze nooit meer tegen me zeggen. Hoeveel spermatozoïden heeft de eikelman in haar gedumpt? Misschien weet de alziende libel het. Of vergis ik me? Zoals ik me in Liz heb vergist. In het sacrament van het huwelijk. Zoals ik me in mezelf heb vergist. In mijn zogenaamde toewijding aan haar. Waarom zou hij het zijn, de dader, de man die mijn leven heeft verwoest?

Ik moet onze vriend Mark bellen. Dat hij een kist voor haar uitzoekt. Met koperen klinken aan de zijkanten en zo. En slagroomwitte stof vanbinnen. De rat Mark. Hij had het net zo goed kunnen zijn. Liz stond voor alles open, voor elke geilneef. Ze vond onze Mark best boeiend, dat heeft ze ooit toch letterlijk zo gezegd? Eerst was-ie marktkoopman, de mensen rotte tomaten aansmeren. En toen ging hij ineens in teraardebestellingen doen, gouden business, niet kapot te krijgen. Ging-ie met z'n George Clooney-kop aan de mensen vragen hoe ze hun dierbare dooie uit de weg geruimd wilden hebben. Lijpe Mark. Verdient zelfs af en toe een centje bij als een castingbureau hem belt en hij als lookalike bij een of ander ouwewijvenfeestje moet verschijnen. Alleen die onbetaalbare glimlach van Clooney, die heeft hij gewoon niet, krijgt-ie niet in zijn smoel geboetseerd, daarvoor is hij gewoon te veel een doodgraver, een lijkenpikker.

De sirenes dwarrelen weg. De helikopter ontbreekt. Het regent weer. Nog hooguit twee kilometer tot de Vooruitgangstraat. Hebben ze elkaar daar ook ontmoet? De hedonist en de journaliste. Je raaskalt, jongen. O ja? Ik zie toch hoe hij steeds naar haar kijkt. Hoe zijn lippen daarbij van geilheid glimmen. De achteruitkijkspiegel liegt niet. Die niet, nee. De tong stopte je in je broekzak, de rest van Liz in de kofferbak. Een simpel rijmpje. *So it goes.* Aldus Billy Pilgrim in *Slaughterhouse Five.* Het door Wild Bob geabsorbeerde zaad vergelijken met dat van de eikelman. Een sluitender bewijs kun je niet krijgen. Wat? Wat krijgen we nou? Is dit... Ja, dit is... Het kwispelt. Het leugenvlees kwispelt. De tong in mijn broekzak kwispelt. Naar hem. Naar de eikelman. Onmiskenbaar. Onloochenbaar. Dat is het. De essentiële aanwijzing. Nu hangt-ie, de kaalkop. Jawel, hij is het, de man die mij van de troon heeft gestoten en nu doodleuk op de achterbank van mijn wagen zit, zich door mij laat vervoeren, wat een ongehoorde brutaliteit, nog geen twintig uur geleden zat hij in mijn wettige echtgenote met zijn vingers, zijn tong, zijn gezwollen geslacht, en nu... Al dat kraakbeen onder zijn gezichtsvel – stel je voor dat dat verkruimelt. Dat die schedel barst, openbarst, en dat dan...

Dit moet ophouden, zeg ik tegen mezelf, zei Liz tegen mij vlak voordat ik haar tegen de grond had gegooid. Dit gekwispel tussen haar en die gast moet ophouden. Als dit zo doorgaat, bega ik een ongeluk, denk ik, dacht ik toen ze zei dat ik haar niets te bieden had, dat ik gevoelloos was, een kil mens.

Het is sluierregen die op de stad valt. De Vooruitgangstraat nadert. De ontknoping is nabij. De opheldering. Nee, Liz, je blijft bij mij. Al dat gekwispel is zinloos omdat... Daar is de Vooruitgangstraat. Hoogste tijd voor het vonnis. Onzin, dat is al lang geveld. De uitvoering ervan, daarom gaat het nu. Open dat kastje. Ja, zo, met één hand nog aan het stuur, in volle vaart. Niet de ijskrabber maar het vuistvuurwapen. Zonder plichtplegingen. Zonder omwegen. Span de haan nu. Draai je om maar laat het gaspedaal niet los.

Doe het nou maar. Uit voorzorg. Uit zelfverdediging. Opdat het leugenvlees zwijgt. Opdat het uitpuilen ophoudt. Opdat gerechtigheid geschiede.

Er is geen weg terug. Ik draai me om. Richten is niet nodig. Ik schiet hem gewoon kapot. Recht in zijn smoel. Voilà.

Ik voel het bloed tegen mijn voorhoofd sproeien. Het bezoedelde bloed. Het bloed dat zijn aderen deed zwellen zodra mijn vrouw hem aanraakte. Is dat de prefrontale lob die aan het zijraampje plakt? Doorrijden nou, tot aan zijn huis.

Het huis heeft een garage. De goden zijn mij goedgezind. Ik stop, zet 'm in z'n vrij, de handrem erop. Eens kijken waar de eikelman zijn sleutels heeft. Christus me ziele, wat een zootje. Met de vrije liefde is het gedaan. Die maakt geen huwelijken meer kapot. Het uitpuilen is voorgoed voorbij, zijn hoofd is weggeblazen. Tien- tot vijftienduizend facetten. Vakwerk van de Smith & Wesson.

Het is een koperen fallus waaraan de sleutels hangen. Een ring door de eikel. Misschien heeft zijn eigen pik ook wel zo'n piercing. Was het dat wat Liz zo... Nee, genoeg gegist nou. Aanpakken, doorpakken. Je met bloed bespatte trui uittrekken en dan naar buiten.

De derde sleutel past. De garagedeur klapt omhoog. Terug naar de drieduizenddriehonderdnegenennegentig. Honderdtachtig graden draaien en dan dat zwarte gat in. Poppetje gezien, kastje dicht.

De garage stinkt naar schimmel. Naar Wild Bob. Ik open het achterportier en de onthoofde eikelman valt vanzelf uit mijn wagen. Heel coöperatief van hem. Eindelijk kent hij zijn plaats.

Niet bepaald een propere moord. Een waaier van bloed op de achterruit. Ook aan de onderkant van het dak heeft het zich straalsgewijs verspreid. Alsof hij is ontploft. Eén druppel bloed bevat zo'n vijfentwintig miljoen bloedcellen. Het borrelen in haar mond hield al snel op. Toen droeg ik haar over de drempel. Zoals ik haar tien jaar geleden over de drempel droeg. In omgekeerde richting weliswaar. Mijn bruidje. *So it goes.*

Eerst moet dit grondig worden gereinigd voordat ik Liz inviteer. Met de poetsdoeken van de eikelman de resten van de eikelman verwijderen. Vervolgens deze doeken in een hoek gooien, daar waar ook de garage-eigenaar ligt.

Is dat nou degene die Liz... die Liz... die met Liz... die in Liz... in haar heeft zitten graaien en graven met zijn wielren-handschoentjes? Om je kapot te lachen.

En nu hoef ik alleen nog maar een knopje aan te tippen en de kofferbak opent zich. Daar waar verleden en toekomst liggen samengeperst tot een pakketje vlees waarvan de uiterste houdbaarheidsdatum ongetwijfeld verstreken is. Die hield je altijd angstvallig in de gaten, hè Liz? Een dag of twee voordat die datum bereikt was, vertrouwde je het vaak al niet meer. Gooide je het spul weg. Op zekere dag beschouwde je ook mij als bederfelijke waar, niet? Zonder mij daarvan op de hoogte te stellen, stout meisje. En kijk nou eens hoe je er zelf bij ligt. Ja, Liz, jij zou jezelf al lang hebben weggegooid. Maar zoiets doe ik niet. Daarvoor houd ik te veel van je, begrijp dat nou eens.

Boven het bed op de eerste verdieping van de Vooruitgang-straat 26 hangt een foto met de spanwijdte van een condor. Plusminus drie meter. Erop afgebeeld een kale, naakte man die op een kingsize bed zit samen met drie jonge ontklede vrouwen. Het bed op de foto is hetzelfde bed dat driedimensionaal onder de foto staat: bedekt met een sprei van zwart leer.

Horizontaal boven het bed loopt een houten dakbalk waarin verscheidene haken zijn geschroefd.

In de zuidwestelijke hoek van het slaapvertrek bevindt zich een kooi met vingerdikke tralies. In de kooi, op de met zwart marmoleum bespannen vloer, een metalen drinkbak. Naast de kooi, tegen de achterwand aan geschoven, een massage-tafel. Rechts daarvan, in de zuidoostelijke hoek, een ijzeren kluister met vier kleine ringen en één grote, alle verstelbaar.

Langs elke lange zijde van de kamer staat een verrijdbaar aluminium rek opgesteld. Aan het ene hangen onder meer diverse zwepen, een plumeau en een mattenklopper; aan het andere bundels touw in uiteenlopende kleuren en diktes.

Op beide nachtkastjes staat een totem: links een glazen penis van twintig centimeter lang en met een doorsnede van zes centimeter; rechts een roestvrij stalen buttplug in de vorm van een miniatuurkerstboom. Onder het nachtkastje met de penis wacht een paar pantoffels.

Tegenover de wand met de foto bevindt zich een muur waarin ruimte is uitgespaard voor een venster. Dit venster, geflankeerd door bijeengebonden gordijnen van rood latex, kijkt uit op de straat. Binnen de omlijsting van het raam verschijnt een loodkleurige auto die achteruitrijdt. In de auto zitten twee mensen.

15:55 UUR

Zit je lekker, Liz? Sorry dat ik de gordel zo strak heb moeten doen, maar anders kukel je nog van de achterbank. Dat moeten we niet hebben, je bent een dame, en dames zitten te allen tijde rechtop. Hopelijk neem je het me ook niet kwalijk dat ik mijn broekriem rond je kimono heb gegespt. Het ziet er anders zo slordig uit, nu zijn je borsten tenminste netjes opgeborgen, toch? Wat? Zei je wat? Nee, natuurlijk zei je niks, want je tong is nu van mij. Ik beheer voortaan je tong, is dat niet geweldig? Een hele verantwoordelijkheid, ja, dat wel.

Verdomde aardig van die vriend van je dat hij nog wat benzine in de garage had staan. Nu hoeven we niet meer te stoppen, nu kunnen we in één ruk door naar onze bestemming. Ik heb het meisje van de centrale gezegd dat het erop zit, dat ik naar huis ga. Zo is het ook, we gaan naar waar we horen. Niet naar jouw moddermaskercrème en je Soft Powder Blush, niet naar je krantenknipsels, nee, nee. Als ze komen, dan komen ze met speurhonden en getrokken revolvers, dan doen ze de deuren open en dan stampen ze met hun laarzen naar binnen en graven ze met hun zaklampen door het duister. Al die ogen, vijftienduizend stukjes oog, ze kijken het huis aan flarden... maar ze vinden de schat niet want jij zit op de achterbank en de vliegen waken over je. Ze zullen alleen de kapotte smartphone vinden en hun vingers snijden aan al die gebroken boodschappen. De honden zullen aan de handdoeken snuffelen, aan Wild Bob, en ze zullen zich schor blaffen van radeloosheid. We zijn onachterhaalbaar, Liz.

Zullen we naar onze kroeg gaan, daar waar het allemaal begon? Waar ik je per toeval tegen het lijf liep, je onweerstaanbare lijf. Het lijf dat na jarenlange trouwe dienst zich ineens aan vaandelvlucht begon schuldig te maken. Onvergeeflijk, maar gelukkig heb je dat nu zelf ook ingezien. Je bent niet voor niks weer bij me. Stout meisje, toch.

Nee, we blijven niet in deze rotstad. Ik neem geen gas meer terug. We gaan hier weg, schatje. Ik doe je uitgeleide, ik breng je naar de overkant.

Je zit in mijn spiegel, je bent thuisgekomen in mijn spiegel en je gaat nooit meer weg. In de spiegel zie ik je, samen met mij. Sorry dat ik de nar heb weggegooid. Hij zat in de weg, hij liep me voor de voeten. Ook de eikelman moest worden opgeruimd. Ja, om mij moverende redenen – zoals men dat in de advocatuur zegt – heb ik jouw eikelman van zijn eikel beroofd. Van zijn eikelvormige kop, bedoel ik. Hij had Wild Bob te schande gemaakt, dat kon ik niet over mijn kant laten gaan, begrijp je?

Ze zullen zeggen dat het niet goed is wat ik heb gedaan. Dat ik fout ben. Alsof ik een som ben die niet goed is uitgerekend. En daarom moet ik, ik moet... Ze zullen alles overhoop halen. De kasten, de kisten, de laden. Zelfs mijn naam zullen ze openbreken en doorvlooien. Net zo lang tot ik niet meer weet hoe ik heet. Ze zullen me kwijt maken. Des te beter.

Mijn benen tintelen. Ik geloof dat ze slapen. Maar maak je geen zorgen, Lizzie, de wagen brengt ons verder, de wagen weet waar hij heen moet. Het Victorieplein over, dan wijk R door en we zitten al bijna in de periferie. Moet je zien hoe het Centraal Bureau voor Volkshuisvesting erbij ligt. Echt symptomatisch. Daar moet je nou eens een artikel over schrijven. Als ik burgemeester van deze stad was, zou ik alle duiven laten afschieten en de duivendrek met een tanden-borstel laten schoonmaken door die jongens die overal hun tag op kliederen. Of vind je dat ik nou te ver ga? Maar jij bent het, Liz, jij bent het die te ver is gegaan. Zo ver dat ik je bijna niet meer kon zien. Het donkere bos ingesleurd door de eikelman. Ik heb je nog net kunnen redden. En nu breng ik je naar waar niemand meer bij je kan. Waar je voor altijd veilig bent.

De mensen zijn uitgewinkeld, ze gaan terug naar de voor-oorden. De kofferbakken volgepropt, ze kunnen er weer even tegen. Een weekje overleven en dan moeten ze opnieuw boodschappenlijsten maken, vooruitplannen om niet ach-terover te vallen. Kiloknallerkippen en een familieverpak-king ultrazacht toiletpapier. En voor de allerkleinsten een luieremmer met goed afsluitbaar deksel om de nare lucht-jes buiten te sluiten. Waarom hebben we eigenlijk nooit kin-deren gemaakt? Omdat ik het nooit ter sprake heb gebracht en jij te trots was om het als eerste voor te stellen? Omdat we dachten dat daar nog wel tijd voor was? Wil je dat ik de ra-dio aanzet? Wat wil je horen? *Poker Face*? Nee, dat staat niet meer in de hitlijsten. Een mooie klassieker misschien? *Sim-ple Twist of Fate* of *M*? Nooit van gehoord? Kom nou, hou je niet van de domme. Die gast heeft je toch zeker niet geher-senspoeld, mag ik hopen?

Moet je jouw stad nou eens zien. Boordevol schaduw. En achter de ramen al televisiegeflakker. Programma's die her-haald worden, daar is de zondagmiddag goed voor. Dat kan ons allemaal niet meer deren, wij naderen een andere tijd-zone. De secondewijzer op mijn pols is duizelig. Die heeft zijn beste tijd gehad, haha. En mijn sok is meer gat dan stof. Ik ben al aan het vervellen, dat is het. Vandaar natuurlijk ook die etterende korst op mijn onderlip. Dan raak ik ook meteen alle parasieten kwijt. Behalve dan die teek in mijn broekzak. De teek van de teef. Jouw leugenvlees, Liz. Jouw gevorkte tong. Met het ene uiteinde prikte je in de eikel van de eikelman, met het andere prakte je stiekem mijn hart aan gort. Dat kon ik niet langer toestaan. Dat was een heilloze weg, Liz, dat heb je inmiddels gelukkig begrepen. Die weg moest worden afgesneden. Met het broodmes. Het besluitvaardige broodmes.

Ja, ik weet het, de wolken zijn vandaag zichzelf niet. Samengeklonterd tot één grijze massa. Dezelfde kleur als mijn taxi. Mijn wagen is een wolk. Wolk onder de wolken. Ongemerkt gaat hij ervandoor, ongrijpbaar voor het bloedstollende blauw van de patrouillewagens.

We zitten al op de uitvalsweg. Hier geen lichtreclames meer, geen trottoirs met koopjesjagers en bedelaars. Alleen maar leegstaande kantoortorens en verlaten fabriekshallen. We gaan goed, Liz. We gaan helemaal goed. Naar het oosten. Naar waar de zon nooit ondergaat. De meter is uit, we gaan voor de volle winst, ja dit wordt een recordomzet, beter nog dan met oud en nieuw.

Laat mij maar schakelen. Laat mij maar de richting aangeven. Je hoeft je alleen maar op mij te verlaten, meer niet. In de drieduizenddriehonderdnegenennegentig is het goed toeven, daar heeft Tintoretto nog gewoond, wist je dat, Liz? Wat ik niet allemaal geleerd heb, vandaag. Dat automutilatie in de mode is en dat het een gescheurde aorta was waaraan dat beroemde springpaard pas geleden is doodgegaan. Dat pyromanen eigenlijk lieve jongens zijn en lieveheersbeestjes feitelijk roofdieren. Dat plofkippen maar zes weken leven en dit ook nog eens op één vierkante meter met z'n twintigen. Dat kunstheupen en botschroeven niet vergaan bij een crematie en dat ze die gebruiken om windmolens van te maken. Dat de frontale lob verwaarloosd wordt in deze technologische tijden en dat een jujuman met wat steentjes, schelpjes en krokodillenbotjes je ziel kan lezen. Deze tijden. Deze trouweloze tijden.

Dit zijn de laatste resten van de stad. Autokerkhoven en slopersbedrijven. Her en der een loods waarin misschien seksslavinnen zijn opgesloten of waar ze nu opnames maken voor een pornofilm met herdershonden. Vind je dat ik me weer te veel verbeeld? Als journaliste zou je toch beter moeten weten, Liz. Lieveheersbeestjes zijn roofdieren. Feitelijk. En jouw tong heeft zich zes maanden lang aan corruptie schuldig gemaakt. Zoals de zorgverleningsindustrie zich al tijdenlang op grote schaal met zwendel heeft ingelaten. Dat weet ik van jou, Liz. Dat heeft de eigenares van het leugenvlees mij medegedeeld. Correctie: de ex-eigenares. Want sinds vannacht ben ik de bewindvoerder van jouw tong. Had ik dat al gezegd? Soms kan het geen kwaad iets te herhalen want zo veel gaat verloren. Zo veel wordt verkeerd begrepen.

De ringweg op. Nu kunnen we vaart maken, hier is geen opengebroken wegdek, hier zijn nauwelijks stoplichten. Hooguit een verdwaald hert kan ons stuiten. Of een door myxomatose blind geworden konijn kan tussen onze wielen raken. Dat zou je zielig vinden, hè Liz, zo'n pluizig diertje dat verbrijzeld wordt, ook al zit er pus in zijn oogleden, ook al heerst er een konijnenplaag, waardoor bomen kapot geknaagd, tuinen verwoest worden. Je riep altijd dat je ze wilde vasthouden, de konijntjes en eekhoorntjes en puppy's van deze wereld, maar in werkelijkheid heb je dat nooit gedaan, was je bang en allergisch voor ze. En dus klampte je je aan mij vast, moest ik jouw konijn zijn, jouw eekhoorn, hoewel ik het liefst in de bomen klom of een hol groef.

Moet je zien, het hagelt rijst voor mij en mijn bruidje. Tik tik tegen de ruiten. We zijn weer bij het begin, bij het witte begin. Het maagdelijke sacrament van het huwelijk. Ik heb je over de drempel gedragen, vannacht heb ik je teruggevoerd naar mijn rijk. En de roofridder hoeven we niet meer te vrezen, de roofridder is dood. De velden zijn volgestrooid met rijst, de boomkronen gesluierd met bruidskant. En in de verte wacht de woestenij op ons. De *badlands*.

Als je het goed vindt, doe ik de raampjes open. Dat het een beetje doortocht, snap je? Dat de laatste stank uit je mond wegwaait. Nu begrijp ik waarom je de laatste tijd zo uit je mond rook. Vanwege al die rottende woorden die je in mijn gezicht blies. Woorden waarvan de houdbaarheidsdatum al lang verstreken was.

Ha, grappig, de secondewijzer van mijn horloge en de snelheidswijzer van de wagen doen een wedstrijdje. Vooralsnog gaan ze gelijk op. Wat een gewapper. Dadelijk fladderen de gelukstekens nog van je kimono weg. En dan de kimono van je lichaam. En dan het haar van je hoofd. De wimpers van je ogen. Vind je dat niet leuk? Je gaat toch niet weer kotsen zoals toen, hè? Oké, oké, ik ga wel een beetje langzamer rijden. Jammer, al die zwarte flarden buiten bevielen me wel. Nu zie je weer wat de dingen voorstellen en dat is zelden een prettig gezicht. De aan flarden gereden konijnen en egels. De gebods- en verbodsborden. De verroeste vangrails.

We komen dichterbij. En toch zullen we niet stoppen, zullen we blijven doorrijden. Gelukkig is dat eiland van jou bijna net zo groot als een continent. Ik ruik de vrijheid al tussen de heuvels, jij ook? Hoezo gelul? De taximeter is toch uit en het daklicht ook? Vrij ben ik, Lizzie, vrij om te gaan en te staan waar ik wil. En jij met mij. Een cliché? Haha, ja, je hebt gelijk, een knoeperd van een cliché. We gaan naar zee, Liz, de zinderende zee, we beginnen opnieuw, we laten ons dopen door de branding, we laten ons toejuichen door de meeuwen. Nee, helemaal niet, we gaan naar de andere kant van de dag, dat is onze bestemming, dwars door de nacht, en we laten ons straks verlichten door de opkomende zon. Hoor je hoe de drieduizenddriehonderdnegenennegentig loeit van opwinding, hoe het vreugdevuur knettert onder zijn motorkap?

Rondom ons wordt de wereld weggepoetst. Met zwartsel dichtgesmeerd. Het enige wat blijft, is de weg, die smalle strook voor ons met al die witte snippers. De ruggengraat van de aarde. Maar ook die verdwijnt steeds – weg is de weg. Ook die wordt verzwolgen. Door onze vergeetmachine. Al die sporen die in jouw stofzuiger verdwenen. Omdat ik het niet mocht weten. Ook dat weg. Verzwolgen door de 3399. Ook de draak op je kimono – verzengd door de vuuradem van ónze draak. Zijn rode ogen houden alles wat achter ons ligt op afstand.

Kijk daar, er staat iemand op een veranda, een stormlamp maakt een silhouet van hem. Dat ben ik, Liz, die man, dat silhouet. En ik zie dat het goed is.

Zo, de raampjes weer dicht, de handen stevig aan het stuur. Meters maken, afstand overbruggen. We geven niet op, we gaan door. Ruim baan voor ons, Lizzie, ruim baan voor de pasgeborenen. Fantastisch hoe de regen alles heeft weggespoeld, hoe de hagel iedereen heeft weggejaagd. De naald van de snelheidswijzer ijlt in noordwestelijke richting terwijl de neus van de wagen naar het oosten wijst. De banden doen de kozakkendans, het is feest, de controlelampjes wiegen op de hartslag van de toerenteller, de grille blaast rook, een evenement op vier wielen zijn we.

Jammer dat we onze eigen achterlichten niet kunnen zien, iets mooiers kan ik me niet voorstellen.

Ride the King's Highway, baby. Wil je dat ik de radio aanzet? Of zal ik liever wat neuriën? *Riding out tonight to case the promised land.* Nee? Romantische onzin? Oké, wat je wil, liefste. Je hebt gelijk, de muziek van de motor is mooi genoeg. Meer dan mooi.

Voel je hoeveel ik van je houd, Lizzie? Voel je hoe de drieduizenddriehonderdnegenennegentig zowat uit elkaar barst van hartstocht? Deze weg is een ideale startbaan, nietwaar? Gladgeslepen voor onze verlangens. Dit goddelijke razen, dit hemelse kolken. Alles verpulvert – het gegons van de stofzuiger, het zaad van de eikelman, de tong in mijn broekzak – zo snel gaan we.

Die sterrenzwerm daar rechtsboven... is dat niet... ja, het is een zandloper... Orion dus. Orion op jacht met de stralende Sirius aan zijn zijde. Zo hoog is de hemel nog nooit geweest, schitterend al die gaswolken en nevels. *Ad astra per aspera*, schatje!

Doe je ogen nu maar dicht. En als je ze straks weer opendoet, zal de zon er zijn. De zon tussen de silo's. Het kniehoge gras aan weerszijden van de weg. De wind erdoorheen als een borstel. Paarden galopperen een stukje met ons mee. De miljoenen korrels van het asfalt, schuchter opgloeiend. De horizon een zilveren lint en wij een stofwolk, een voortvlinderende koortsvlaag.

We rijden net zo lang door tot we niet meer weten wie we zijn.

Tot we er niet meer zijn.

Tot we er zijn.

Dit is het huis. De kamer waar het is gebeurd. De dingen herkenbaar maar ook desoriënterend, gedesoriënteerd. Een eetkamerstoel die op de grond ligt, het hout van de smalle rugleuning gespleten. Anderhalve meter ten zuidoosten hiervan een ontkoppelde telefoonhoorn, eveneens op de vloer, naast een kussen dat van de zitbank is gegleden. De zitbank zelf staat niet evenwijdig aan de muur maar hinderlijk schuin, als een schip dat met zijn boeg van de oever is afgedreven.

Midden in de kamer bevindt zich een stofzuiger, de slang en aluminium telescoopbuis eromheen geplooid, waardoor het toestel een sterke gelijkenis vertoont met een meerpaal op de kade. De zuigmond aan het einde van de buis is naar boven gedraaid zodat haarresten en andere vuildelen zichtbaar zijn, vervlochten met de zijborstels. Achter een rond venstertje op de bovenzijde van het apparaat geeft een oranje kleur aan dat de stofzak vol is en vervangen moet worden.

Vlak bij de enige muur in de kamer die geen venster heeft, liggen een paar stukjes metaal of kunststof op de vloer, vermoedelijk van een mobiele telefoon. Naar alle waarschijnlijkheid zijn ze ontsnapt aan de aandacht van de stofzuiger of konden ze eenvoudigweg niet meer opgezogen worden omdat de stofzak vol was.

In de kamer zijn echter ook patronen zichtbaar die een meer logische, meer vertrouwde aanblik bieden. Op het zwartgranieten aanrecht een dozijn broodkruimels alsmede een afgewassen broodmes: een dode zeebaars, ingetogen glinsterend en met een groen waas op de zilveren huid. Achter de patrijspoort van een wasmachine een wierklomp van handdoeken, uitgekolkt, schoongekookt, wachtend op verlossing.

Over niet al te lange tijd zullen de hulpdiensten arriveren. Ze zullen het gebied afbakenen en onderzoeken. Met de grootst mogelijke voortvarendheid zullen ze ervoor zorgen dat de orde wordt hersteld.

Andere boeken van Peter Drehmanns

De blindganger (roman, 1999)
Gemaskerd land (roman, 2002)
Schaduwboksen (verhalen, 2003)
Erfsmet (roman, 2004)
Blackpool (roman, 2005)
Altijd maar begraven (roman, 2007)
Soms sloot ik mijn ogen (roman, 2008)
De begeleider (roman, 2009)
Hedendaags reisadvies (gedichten, 2011)
De schrijver en zijn meisjes (roman, 2011)
Onder nog onopgehelderde omstandigheden (gedichten, 2012)

De auteur ontving voor het schrijven van dit boek een werkbeurs van het
Nederlands Letterenfonds.

N ederlands
letterenfonds
dutch foundation
for literature

Colofon

© 2013 Peter Drehmanns

Redactie: Jasper Henderson
Correctie: Jolien Langejan-Meijer
Omslagontwerp: Riesenkind
Omslagillustratie: Kamiel Vojnar / Trevillion Images
Zetwerk: V3-Services
Druk: Ten Brink

Eerste druk september 2013

ISBN   97894 6068 148 6
E-ISBN 97894 6068 928 4
NUR   301

Niets uit deze uitgave mag verveelvoudigd en/of openbaar gemaakt worden
door middel van druk, fotokopie, microfilm, of op welke wijze dan ook,
zonder voorafgaande schriftelijke toestemming van Uitgeverij Marmer BV.

Uitgeverij Marmer BV
De Botter 1
3742 GA BAARN
T: +31 649881429
I: www.uitgeverijmarmer.nl
E: info@uitgeverijmarmer.nl

www.peterdrehmanns.nl